MAIGRET ET L'AFFAIRE NAHOUR

OUVRAGES DE GEORGES SIMENON

AUX PRESSES DE LA CITÉ

COLLECTION MAIGRET

Mon ami Maigret
Maigret chez le coroner
Maigret et la vieille dame
L'amie de Mme Maigret
Maigret et les petits cochons sans queue
Un Noël de Maigret
Maigret au « Picratt's »
Maigret en meublé
Maigret, Lognon et les gangsters
Le revolver de Maigret
Maigret et l'homme du banc
Maigret a peur
Maigret se trompe
Maigret à l'école
Maigret et la jeune morte
Maigret chez le ministre
Maigret et le corps sans tête
Maigret tend un piège
Un échec de Maigret
Maigret s'amuse
Maigret à New York
La pipe de Maigret et Maigret se fâche
Maigret et l'inspecteur Malgracieux
Maigret et son mort
Les vacances de Maigret
Les Mémoires de Maigret
Maigret et la Grande Perche
La première enquête de Maigret
Maigret voyage
Les scrupules de Maigret
Maigret et les témoins récalcitrants
Maigret aux Assises
Une confidence de Maigret
Maigret et les vieillards
Maigret et le voleur paresseux
Maigret et les braves gens
Maigret et le client du samedi
Maigret et le clochard
La colère de Maigret
Maigret et le fantôme
Maigret se défend
La patience de Maigret
Maigret et l'affaire Nahour
Le voleur de Maigret
Maigret à Vichy
Maigret hésite
L'ami d'enfance de Maigret
Maigret et le tueur
Maigret et le marchand de vin
La folle de Maigret
Maigret et l'homme tout seul
Maigret et l'indicateur
Maigret et Monsieur Charles
Les enquêtes du commissaire Maigret (2 volumes)

LES INTROUVABLES

La fiancée du diable
Chair de beauté
L'inconnue
L'amant sans nom
Dolorosa
Marie Mystère
Le roi du Pacifique
L'île des maudits
Nez d'argent
Les pirates du Texas
La panthère borgne
Le nain des cataractes

ROMANS

Je me souviens
Trois chambres à Manhattan
Au bout du rouleau
Lettre à mon juge
Pedigree
La neige était sale
Le fond de la bouteille
Le destin des Malou
Les fantômes du chapelier
La jument perdue
Les quatre jours du pauvre homme
Un nouveau dans la ville
L'enterrement de Monsieur Bouvet
Les volets verts
Tante Jeanne
Le temps d'Anaïs
Une vie comme neuve
Marie qui louche
La mort de Belle
La fenêtre des Rouet
Le petit homme d'Arkhangelsk
La fuite de Monsieur Monde
Le passager clandestin
Les frères Rio
Antoine et Julie
L'escalier de fer
Feux rouges
Crime impuni
L'horloger d'Everton
Le grand Bob
Les témoins
La boule noire
Les complices
En cas de malheur
Le fils
Le nègre
Strip-tease
Le président
Dimanche
La vieille
Le passage de la ligne
Le veuf
L'ours en peluche
Betty
Le train
La porte
Les autres
Les anneaux de Bicêtre
La rue aux trois poussins
La chambre bleue
L'homme au petit chien
Le petit saint
Le train de Venise
Le confessionnal
La mort d'Auguste
Le chat
Le déménagement
La main
La prison
Il y a encore des noisetiers
Novembre
Quand j'étais vieux
Le riche homme
La disparition d'Odile
La cage de verre
Les innocents

SÉRIE POURPRE

Le voyageur de la Toussaint
La maison du canal
La Marie du port

GEORGES SIMENON

MAIGRET ET L'AFFAIRE NAHOUR

PRESSES DE LA CITÉ

ISBN 2-285-00334-X

CHAPITRE

1

Il se débattait, acculé à se défendre puisqu'on l'empoignait traîtreusement par l'épaule. Il tenta même de frapper du poing, avec l'humiliante sensation que son bras ne lui obéissait pas et restait mou, comme ankylosé.

— Qui est-ce ? cria-t-il en se rendant vaguement compte que cette question n'était pas tout à fait adéquate.

Émit-il réellement un son ?

— Jules !... Le téléphone...

Il avait bien entendu un bruit qui, dans son sommeil, paraissait menaçant, mais il n'avait pas pensé un instant que c'était la sonnerie du téléphone, qu'il se trouvait dans son lit, qu'il faisait un rêve désagréable dont il ne se souvenait déjà plus et que sa femme le secouait.

Il tendit machinalement la main pour saisir le combiné, tout en ouvrant les yeux et en se mettant sur son séant. Mme Maigret, elle aussi, était assise dans le lit chaud et la lampe de chevet, de son côté, répandait une lumière douce et intime.

— Allô !...

Il faillit, comme dans son rêve, répéter :

— Qui est-ce ?

— Maigret ?... Ici, Pardon...

Le commissaire parvenait à voir l'heure au réveille matin, sur la table de nuit de sa femme. Il était une heure et demie. Ils avaient quitté les Pardon peu après onze heures, après leur dîner mensuel qui consistait cette fois, en une savoureuse épaule de mouton farcie.

— Oui... J'écoute...

— Je m'excuse de vous tirer de votre premier sommeil... Il vient de se produire, ici, un événement que je crois assez grave et qui est de votre ressort...

Il y avait plus de dix ans maintenant que les Maigret et les Pardon étaient amis, qu'ils dînaient l'un chez l'autre une fois pas mois, et pourtant les deux hommes n'avaient jamais eu l'idée de se tutoyer.

— Je vous écoute, Pardon... Continuez...

La voix, à l'autre bout du fil, était inquiète, embarrassée.

— Je pense qu'il vaudrait mieux que vous veniez me voir... Vous comprendriez mieux la situation...

— J'espère qu'il n'y a pas eu d'accident ?

Une hésitation.

— Non... Pas exactement, mais je suis inquiet...

— Votre femme va bien ?...

— Oui... Elle est en train de nous préparer du café...

Mme Maigret essayait, d'après les répliques de son mari, de deviner ce qui se passait, et le regardait d'un air interrogateur.

— Je viens tout de suite...

Il raccrocha. Il était à présent bien éveillé mais il avait le visage soucieux. C'était la première fois que le docteur Pardon l'appelait de la sorte et le commissaire le connaissait assez pour comprendre que cela devait être sérieux.

— Que se passe-t-il ?

— Je ne sais pas... Pardon a besoin de moi...

— Pourquoi n'est-il pas venu te voir ?

— Il semble y avoir une raison pour que je me rende là-bas...

— Tout à l'heure encore, il était très gai... Sa femme aussi... Nous avons parlé de sa fille et de son gendre, de la croisière qu'ils se promettent de faire l'été prochain aux Baléares...

Est-ce que Maigret écoutait ? Il s'habillait, troublé, cherchant malgré lui ce qui pouvait avoir provoqué ce coup de téléphone du médecin.

— Je vais te préparer du café...

— Inutile... Mme Pardon est occupée à nous en faire...

— J'appelle un taxi ?...

— Par le temps qu'il fait, tu n'en trouveras pas, ou bien il mettra une demi-heure à venir jusqu'ici...

On était le 14 janvier, le vendredi 14 janvier, et la température à Paris avait été toute la journée de moins 12°. La neige, qui était tombée en abondance les jours précédents, s'était durcie à tel point qu'il avait été impossible de l'enlever et, malgré le sel répandu sur les trottoirs, il restait des plaques de glace vive sur lesquelles les passants glissaient.

— Mets ta grosse écharpe...

Une écharpe de laine épaisse qu'elle lui avait tricotée et qu'il n'avait presque jamais l'occasion de porter.

— N'oublie pas tes caoutchoucs... Tu ne me permets pas d'aller avec toi ?...

— Pour quoi faire ?

Elle n'aimait pas le voir partir seul cette nuit-là. En revenant de chez les Pardon, alors qu'ils marchaient tous les deux avec précaution, en regardant le sol devant eux, Maigret n'en était pas moins tombé lourdement au coin de la rue du Chemin-Vert, et il était resté assis un bon moment sur le sol, ahuri et honteux.

— Tu t'es fait mal ?

— Non... J'ai simplement été surpris...

Il avait refusé qu'elle l'aide à se relever, puis qu'elle le tienne par le bras.

— Inutile que nous tombions tous les deux...

Elle le suivit jusqu'à la porte, l'embrassa, murmura :

— Sois prudent...

Puis elle laissa la porte entrouverte jusqu'à ce qu'il atteigne le rez-de-chaussée. Maigret évita la rue du Chemin-Vert, où il était tombé tout à l'heure, préférant faire un léger détour en suivant le boulevard Richard-Lenoir jusqu'au boulevard Voltaire où habitaient les Pardon.

Il marchait lentement, n'entendant aucun pas que le sien. On ne voyait pas de taxis, pas de voitures. Paris semblait vide et il ne se souvenait de l'avoir connu ainsi, figé dans le froid, que deux ou trois fois dans sa vie.

Boulevard Voltaire, pourtant, le moteur d'un camion tournait au ralenti, du côté de la République, et quelques silhouettes noires s'agitaient : des hommes qui lançaient du sel par larges pelletées sur la chaussée.

Chez les Pardon, on voyait de la lumière à deux des fenêtres, les seules fenêtres éclairées de la rangée de maisons. Maigret devina une silhouette derrière les rideaux et, quand il arriva devant la porte celle-ci s'ouvrit avant qu'il eût le temps de sonner.

— Excusez-moi encore, Maigret...

Le docteur Pardon portait le même veston bleu marine qu'au dîner.

— Je me suis mis dans une situation tellement délicate que je ne sais comment m'en sortir...

Dans l'ascenseur, le commissaire lui trouva les traits tirés.

— Vous ne vous êtes pas couché ?

Et le médecin d'expliquer, gêné :

— Quand vous nous avez quittés, je n'avais pas sommeil et j'en ai profité pour remplir mes fiches en retard...

Autrement dit, malgré son travail, il n'avait pas voulu remettre le dîner traditionnel à une autre date.

Comme par hasard, les Maigret étaient restés plus tard que d'habitude. On avait surtout parlé vacances, en effet, et Pardon avait remarqué que ses patients en revenaient de plus en plus fatigués, surtout des voyages en groupes.

Ils traversèrent la salle d'attente où ne brûlait qu'une petite lampe, et au lieu de se rendre au salon, pénétrèrent dans le bureau de Pardon.

Mme Pardon arriva tout de suite avec un plateau, deux tasses, une cafetière et du sucre.

— Ne m'en veuillez pas de me montrer ainsi... Je n'ai pas pris la peine de m'habiller... D'ailleurs, je me retire tout de suite, car c'est mon mari qui a besoin de vous parler...

Elle portait une robe de chambre bleu pâle sur sa chemise de nuit et ses pieds étaient nus dans des mules.

— Il ne voulait pas vous déranger... J'ai insisté et, si j'ai eu tort, je vous en demande pardon...

Elle leur versait le café et se dirigeait vers la porte.

— Comme je ne vais pas m'endormir avant que vous ayez fini, n'hésitez pas à m'appeler si vous avez besoin de quelque chose... Vous n'avez pas faim, Maigret ?

— J'ai trop bien dîné pour avoir déjà faim...

— Toi non plus ?

— Merci...

Une porte était ouverte, qui donnait sur la petite pièce où le médecin examinait ses patients. Au milieu, il y avait une haute table articulée recouverte d'un linge maculé de sang et Maigret remarqua de larges taches de sang sur le linoléum vert.

— Asseyez-vous... Prenez d'abord votre café...

Il désignait une pile de papiers et de fiches sur son bureau.

— Vous voyez... Les gens ne se rendent pas compte qu'en dehors de nos consultations et de nos visites nous avons un travail de bureaucrates à accomplir... Comme nous sommes souvent dérangés par des urgences, nous le remettons sans cesse à plus tard et un beau jour nous sommes submergés... Je comptais consacrer deux ou trois heures à cette besogne...

Or, Pardon commençait ses visites à huit heures du matin avant de recevoir, dès dix heures, les malades à son cabinet. Le quartier Picpus n'est pas riche. C'est un quartier de petites gens et il n'était pas rare de voir jusqu'à quinze personnes à la fois dans la salle d'attente. On comptait sur les doigts les dîners mensuels qui se terminaient sans un appel obligeant Pardon à s'absenter pendant une heure et plus.

— J'étais plongé dans ces papiers... Ma femme dormait... Je n'ai entendu aucun bruit jusqu'à ce que la sonnerie de l'appartement retentisse soudain et me fasse sursauter... Quand je suis allé ouvrir, j'ai trouvé sur le palier un couple qui m'a produit une étrange impression...

— Pourquoi ?

— Avant tout parce que je ne connaissais ni l'homme ni la femme, alors que, en général, ce sont des clients qui me dérangent au milieu de la nuit, et seulement ceux qui n'ont pas le téléphone...

— Je comprends...

— Ensuite, il m'a semblé qu'ils n'étaient pas du quartier. La femme portait un manteau de loutre de mer et un chapeau de la même fourrure... Il se fait qu'il y a deux jours ma femme, qui parcourait un journal de mode, m'a dit tout à coup :

« — Quand tu m'offriras un manteau, ne choisis pas un vison, mais de la loutre de mer... Le vison est devenu commun, tandis que la loutre... »

« Je n'ai pas écouté le reste, mais cela m'est revenu au moment où je tenais la porte ouverte et où je les regardais avec étonnement.

» L'homme aussi portait des vêtements qu'on ne voit pas d'habitude boulevard Voltaire.

» C'est lui qui a demandé avec un léger accent :

» — Le docteur Pardon ?

» — C'est moi, oui.

» — Cette dame vient d'être blessée et je voudrais que vous l'examiniez.

» — Comment avez-vous eu mon adresse ?

» — Une femme d'un certain âge, qui passait boulevard Voltaire, nous l'a donnée... Je suppose qu'elle est une de vos clientes... »

» Ils étaient entrés dans mon cabinet. La femme, très pâle, semblait sur le point de s'évanouir et me regardait avec de grands yeux sans expression tout en tenant ses deux mains sur sa poitrine.

» — Je crois qu'il faut faire vite, docteur... disait l'homme tout en retirant ses gants.

» — De quel genre de blessure s'agit-il ? »

» Il se tournait vers la femme, très blonde, qui devait avoir un peu moins que la trentaine.

» — Vous feriez mieux de retirer votre manteau...

» Sans un mot, elle se débarrassait de sa fourrure et je découvrais que sa robe jaune paille, dans le dos, était imprégnée de sang jusqu'à la ceinture.

» Tenez, il y a une tache de sang sur le tapis, à côté de mon bureau, là où elle se tenait debout, vacillante.

» Je l'ai fait entrer dans le cabinet de consultation et je lui ai demandé de retirer sa robe, proposant de l'aider. Toujours sans prononcer un mot, elle a secoué la tête et s'est dévêtue elle-même.

» L'homme ne nous avait pas suivis, mais la porte était restée ouverte entre les deux pièces et il continuait à me parler, ou plutôt à me répondre. J'avais passé ma blouse. Je me lavais les mains. La femme, étendue sur le ventre, restait immobile, sans un gémissement. »

— Quelle heure était-il ? questionna Maigret, qui venait d'allumer sa première pipe depuis le coup de téléphone.

— J'ai regardé l'horloge au moment où on a sonné à la porte. Elle marquait une heure dix. Tout cela s'est passé très vite, en beaucoup moins de temps qu'il m'en faut pour vous raconter l'histoire.

« En fait, j'étais déjà occupé à laver la plaie et à étancher le sang quand je me suis rendu compte de ce qui m'arrivait. A première vue, la blessure n'était pas trop vilaine. C'était, dans le dos, du côté droit, une plaie d'environ huit centimètres de long dont le sang continuait à couler.

» Tout en m'affairant, je demandais à l'homme resté dans mon bureau, hors de ma vue :

» — Racontez-moi ce qui s'est passé...

» — Je marchais sur le trottoir, boulevard Voltaire, à une centaine de mètres d'ici, et cette personne marchait devant moi...

» — Vous n'allez pas me dire qu'elle a glissé ?

» — Non... J'étais assez surpris de la voir seule dans la rue à cette heure et j'ai ralenti le pas afin de ne pas lui donner l'impression que je voulais l'accoster... C'est alors que j'ai entendu le moteur d'une auto... »

Et Pardon de s'interrompre pour boire son café et pour s'en verser une seconde tasse.

— Vous en voulez ?

— Avec plaisir...

Maigret restait somnolant, les paupières picotantes, avec la sensation qu'il commençait un rhume de cerveau. Dix de ses inspecteurs étaient au lit avec la grippe, ce qui n'avait pas été sans compliquer son travail pendant les derniers jours.

— Je vous répète cet entretien aussi exactement que possible, mais je ne vous garantis pas chacun des mots... Je découvrais, que, entre la troisième et la quatrième côte, la blessure devenait plus profonde et, comme je la désinfectais, quelque chose est tombé sur le sol, sans que j'y fasse tout de suite attention.

— Une balle ?

— Attendez... L'homme, à côté, continuait :

« — Quand la voiture est arrivée à hauteur de cette dame, elle a encore ralenti, bien qu'elle ne roulât déjà pas vite. J'ai vu un bras passer par la portière... »

Maigret interrompit :

— La portière avant ou la portière arrière ?

— Il ne me l'a pas dit et l'idée ne m'est pas venue de lui poser la question... N'oubliez pas que j'étais occupé par une véritable intervention chirurgicale... Cela m'arrive de temps à autre, en cas d'urgence, mais ce n'est pas ma spécialité et je trouvais toute cette affaire étrange... Ce qui me surprenait le plus était le mutisme total de la patiente...

« L'homme, lui, continuait :

» — J'ai entendu une détonation et j'ai vu cette personne vaciller, essayer de se raccrocher à une façade, puis ployer les genoux et se tasser lentement dans la neige...

» La voiture s'était déjà éloignée et avait tourné à droite dans une rue que je ne connais pas...

» Je me suis précipité... Je me suis aperçu qu'elle n'était pas morte et c'est d'elle-même qu'en s'agrippant à moi elle s'est remise debout...

» Je lui ai demandé si elle était blessée et elle m'a fait signe que oui.

» — Elle ne vous a pas parlé ?
» — Non... Je ne savais que faire... J'ai regardé alentour pour trouver de l'aide... Une vieille femme passait et je lui ai demandé si elle savait où je trouverais un médecin... Elle m'a désigné votre maison en me donnant votre nom... »

Pardon se tut en regardant Maigret avec la mine d'un enfant fautif.

Ce fut le commissaire qui demanda :

— Cet homme n'a pas eu l'idée de la conduire dans un hôpital ?

— Je lui ai fait la même remarque, lui disant que nous sommes à deux pas de l'hôpital Saint-Antoine. Il s'est contenté de murmurer :

— Je ne savais pas.

— Il ne savait pas non plus que le commissariat principal du quartier est à cent mètres ?

— Je suppose... J'étais embarrassé... Je n'avais pas le droit, je le sais, de soigner, sans en avertir immédiatement la police, une blessure par arme à feu. D'autre part, j'avais commencé mon intervention... J'ai spécifié :

« — Je ne fais que lui donner les premiers soins et, dès que j'aurai terminé, j'appellerai une ambulance...

» J'ai appliqué un pansement provisoire.

» — Plutôt que de remettre vos vêtements ensanglantés, je vais vous prêter une sortie de bain...

» Elle a fait non de la tête et, quelques instants plus tard, elle passait elle-même sa robe et sa combinaison, puis rejoignait dans mon bureau l'homme qui l'avait amenée.

» Je leur ai dit à tous les deux :

» — Asseyez-vous... Je viens dans un instant...

» Je voulais retirer mes gants de caoutchouc, ma blouse maculée et reboucher les flacons qui m'avaient servi. Je continuais à parler.

» — Il faudra que vous me donniez tous les deux votre nom et votre adresse... Si vous préférez une clinique privée à un hôpital, dites-le moi afin que je fasse le nécessaire... »

Maigret avait déjà compris :

— Combien de temps êtes-vous resté sans les voir ?

— C'est difficile à préciser... Je me souviens que j'ai ramassé la balle tombée par terre pendant mon intervention et que j'ai jeté dans le panier le coton et le linge maculés... Deux ou trois minutes ?... En parlant je me suis approché de la porte et j'ai constaté que mon bureau était vide...

« Je me suis d'abord précipité vers l'antichambre, puis sur le palier... N'entendant ni l'ascenseur, ni des pas dans l'escalier, je suis revenu dans ce bureau et j'ai regardé par la fenêtre, mais je ne pouvais voir le trottoir au pied de l'immeuble.

» C'est à ce moment que j'ai entendu nettement le démarrage d'une auto... Je jurerais, d'après le bruit, qu'il s'agissait d'une voiture puissante, de grand sport... Le temps d'ouvrir la fenêtre et le boulevard Voltaire était vide, sauf, du côté de la République, un camion de sel et, assez loin, dans l'autre direction, un passant solitaire... »

*
* *

En dehors de ses collaborateurs les plus proches, comme Lucas, Janvier, Torrence et, plus récemment, le jeune Lapointe, pour lesquels Maigret avait une réelle affection, le commissaire n'avait pour ami que le docteur Pardon.

Les deux hommes, à un an près, étaient du même âge et tous deux se penchaient quotidiennement sur les maladies des hommes et de la société, de sorte que leurs façons de voir étaient assez proches.

Ils pouvaient, après les dîners mensuels du boulevard Richard-Lenoir et du boulevard Voltaire, deviser pendant des heures sans se rendre compte de la fuite du temps et les expériences qu'ils évoquaient étaient presque identiques.

Était-ce le respect que chacun éprouvait pour l'autre qui les empêchait de se tutoyer ? Cette nuit, dans le calme et le silence du bureau du médecin, ils n'étaient pas détendus comme quelques heures plus tôt, peut-être parce que le hasard les mettait pour la première fois face à face sur le terrain professionnel.

Le docteur, intimidé, parlait plus vite que d'habitude et on sentait qu'il avait hâte de prouver sa bonne foi, tout comme s'il eût été interrogé par le Conseil de l'Ordre. Maigret, de son côté, se retenait de poser trop de questions, ne choisissant que celles qu'il jugeait indispensables qu'après une certaine hésitation.

— Dites-moi, Pardon, vous avez dit dès le début que l'homme et la femme ne paraissaient pas être du quartier.

Le docteur essayait de s'expliquer.

— Ma clientèle se recrute surtout parmi les boutiquiers, les artisans et les petites gens. Je ne suis pas un médecin mondain, ni un spécialiste, mais celui qui grimpe chaque jour vingt fois cinq ou six étages sans ascenseur en trimballant sa trousse. Il existe, sur ce boulevard, des immeubles bourgeois, cossus, mais je n'ai jamais rencontré dans les rues des gens comme mes clients de tout à l'heure...

« Bien que la femme n'ait pas prononcé un mot, j'ai l'impression qu'elle est étrangère... Elle a le type nordique assez prononcé, le teint laiteux, les cheveux d'un blond qu'on voit rarement à Paris, sinon quand il est artificiel, ce qui n'est pas le cas... D'après ses seins, j'ai tout lieu de supposer qu'elle a eu un ou des enfants et qu'elle a allaité... »

— Aucun signe particulier ?

— Non... Attendez... Une cicatrice, de deux centimètres environ, partant de l'œil gauche en direction de l'oreille... Je l'ai remarquée parce que cela lui fait une sorte de patte d'oie qui, dans un visage très jeune, n'est pas sans piquant...

— Vous croyez qu'elle s'est tue volontairement ?

— J'en jurerais... Comme j'aurais juré, en les voyant sur le palier, puis dans mon bureau, qu'ils se connaissaient, qu'ils se connaissaient même intimement. Je vais peut-être dire une bêtise... Je crois qu'il y a une sorte d'aura autour des couples de vrais amoureux et que, même quand ils ne se regardent pas, quand ils ne se touchent pas, on sent les liens qui existent entre eux...

— Parlez-moi de lui.

— Je l'ai vu moins longtemps et il n'a pas retiré son pardessus d'une étoffe souple et mœlleuse...

— Il portait un chapeau?

— Non. Il était tête nue. Des cheveux bruns, un visage finement dessiné, à la peau hâlée, des prunelles plus foncées que ce qu'on appelle noisette... Je lui donne vingt-cinq ou vingt-six ans et, à sa façon de parler, à ses attitudes aussi bien qu'à ses vêtements, je serais tenté de déduire qu'il a toujours évolué dans les classes privilégiées... Un beau garçon, doux en apparence, un peu mélancolique... Sans doute espagnol ou sud-américain...

« Que dois-je faire à présent?... Faute de connaître leur nom, je ne puis remplir leur fiche médicale... Or, il s'agit vraisemblablement d'une agression criminelle... »

— Vous avez cru au récit de l'homme?

— Sur le moment, je n'ai pas réfléchi... Ce n'est que quand j'ai retrouvé mon bureau vide, ensuite en vous attendant, après mon coup de téléphone, que l'explication qu'il m'a donnée m'a semblée bizarre...

Maigret examinait la balle avec attention.

— Probablement tirée par un 6.35... Une arme qui n'est vraiment dangereuse qu'à courte distance et qui manque de précision...

— Ceci explique la blessure... La balle a atteint le dos en biseau, éraflant la peau sur quelques centimètres avant de s'enfoncer suffisamment pour se loger entre deux côtes...

— La femme peut aller loin ainsi ?

— Je suis incapable d'en juger. Je me demande si, avant de venir ici, elle n'a pas pris un sédatif quelconque car elle n'a guère réagi alors que les plaies superficielles sont souvent les plus pénibles...

— Écoutez, Pardon, grommela Maigret en se levant, je vais essayer de m'occuper d'eux. Demain matin, envoyez-moi un rapport répétant ce que vous venez de me dire...

— Je n'aurai pas d'ennuis ?

— Vous êtes tenu de porter assistance à toute personne en danger, non ?

Il alluma une nouvelle pipe avant de mettre ses gants et son chapeau.

— Je vous tiendrai au courant...

Il retrouva l'air glacé du dehors et, tout en regardant fixement la neige amassée contre les maisons, il parcourut une centaine de mètres sans apercevoir des tache de sang ni de traces de chute. Puis, revenant sur ses pas, il traversa la place Léon-Blum et pénétra dans le poste de police, au rez-de- chaussée de la mairie.

Il connaissait depuis des années le brigadier Demarie assis derrière le comptoir.

— Salut, Demarie...

Celui-ci, surpris de voir surgir le patron de la Criminelle, se levait d'un air gêné, car il était occupé à lire des bandes dessinées.

— Salut Louvelle...

Le sergent Louvelle préparait du café sur un réchaud à alcool.

— Dites-moi, tous les deux, vous n'avez rien entendu, il y a environ une heure ?

— Non, monsieur de Divisionnaire...

— Comme un coup de feu, à une centaine de mètres d'ici...

— Rien...

— Entre une heure et une heure dix...

— De quel côté ?

— Boulevard Voltaire, en direction de la République.

— Une patrouille de deux hommes, les sergents Mathis et Bernier, est sortie à ce moment-là, à onze heures exactement, et a pris le boulevard Voltaire qu'elle a dû descendre jusqu'à la rue Amelot...

— Où se trouve-t-elle en ce moment ?

Le brigadier jeta un coup d'œil à l'horloge électrique.

— Vers la Bastille, à moins qu'elle ne se soit déjà engagée dans la rue de la Roquette... Les deux hommes rentreront à trois heures... Vous voulez qu'on essaie de les rejoindre ?

— Non... Appelez-moi un taxi... Vous me téléphonerez à la P.J. quand ils seront ici...

Il fallut deux ou trois coups de fil avant de trouver un taxi libre. Maigret se mit ensuite en communication avec le boulevard Richard-Lenoir.

— Ne t'inquiète pas si je ne rentre qu'au petit matin... Je suis au commissariat du quartier... Un taxi va venir me prendre... Mais non !... Il n'est pour rien dans ce qui se passe... Je dois cependant m'en occuper dès cette nuit... Non, je ne suis pas tombé... A tout à l'heure...

Le taxi passa à côté du camion de sel qui avançait à pas d'homme et c'est à peine si on rencontra trois voitures avant d'atteindre le quai des Orfèvres, où l'homme de garde devant le portail paraissait roide de froid.

En haut, il trouva Lucas en compagnie des inspecteurs Jussieu et Lourtie. Le reste des locaux semblait vide.

— Bonsoir, mes enfants... Vous allez avant tout téléphoner à tous les hôpitaux et à toutes les cliniques privées de Paris... Je voudrais savoir si, après une heure et demie, cette nuit, deux personnes se sont présentées, un homme et une femme... Il est possible que la femme, blessée au dos, se soit présentée seule... Voici leur description...

Il s'efforça de répéter les paroles de Pardon.

— Commencez par les quartiers à l'est de la ville...

Tandis que les trois hommes se précipitaient vers les appareils, il pénétrait dans son bureau, faisait la lumière, retirait son pardessus et sa grosse écharpe tricotée.

Il ne croyait pas au coup de feu tiré d'une voiture passant le long du trottoir. C'est là un procédé de truands et il n'avait jamais vu un truand armé d'un 6.35. En outre, un seul coup de feu avait été tiré, ce qui est assez rare au cours d'une agression en auto.

Comme Pardon, il était persuadé que l'homme et la femme se connaissaient. N'en avait-il pas pour preuve qu'ils étaient partis sans prononcer un mot, comme des complices, en profitant de ce que le médecin s'attardait quelques instants dans son cagibi de consultation ?

Il retourna vers les trois hommes qui arrivaient presque au bout de leur liste.

— Toujours rien ?

— Rien patron...

Il appela lui-même le central de Police-Secours.

— Vous n'avez pas eu d'appels, vers une heure du matin ? Personne n'a signalé un coup de feu ?

— Un instant... Je demande aux collègues...

Et, quelques instants plus tard :

— Rien qu'une bagarre et un coup de couteau dans un bistrot de la porte d'Italie... Des demandes pour des ambulances par suite de jambes et de bras cassés... Maintenant que la plupart des gens sont rentrés chez eux, cela diminue, mais on a encore un appel toutes les dix minutes environ...

Il avait à peine raccroché que Lucas l'appelait à côté.

— Téléphone pour vous, patron...

C'était Demarie, au commissariat du XIe arrondissement.

— La patrouille vient de rentrer... Mathis et Bernier n'ont rien vu d'anormal et ne signalent que quelques chutes sur le verglas... Mathis, a cependant remarqué une Alfa-Roméo rouge qui stationnait en face du 76 *bis* boulevard Voltaire, et il a même dit à son copain :

» — Voilà ce qu'il nous faudrait pour faire notre ronde... »

— Quelle heure était-il ?

— Entre une heure cinq et une heure dix. Mathis, qui a machinalement caressé le capot, a remarqué que celui-ci était encore chaud.

Autrement dit, l'homme et la femme venaient d'entrer dans l'immeuble, où ils avaient sonné à la porte du médecin à une heure dix.

Comment connaissaient-ils l'adresse de Pardon ? Mathis, interrogé, n'avait pas aperçu de vieille femme sur toute la longueur de l'avenue.

D'où venait le couple ? Pourquoi s'était-il arrêté précisément boulevard Voltaire, presque en face d'un commissariat de police ?

Il était trop tard pour alerter les voitures-radio, car l'auto rouge avait eu le temps d'arriver à destination, où que ce soit.

Maigret grommelait, sourcils froncés, tout en tirant de petites bouffées de sa pipe, et Lucas essayait de deviner ce qu'il se disait à lui-même.

— ... des étrangers... type espagnol... la femme n'a pas parlé... parce qu'elle ne connaît pas le français ?... type nordique... mais pourquoi le boulevard Voltaire et pourquoi Pardon ?...

C'est ce qui le chiffonnait le plus. Si le couple habitait Paris, c'était presque sûrement dans les beaux quartiers et on trouve des médecins dans presque toutes les rues de la ville... Si le coup de feu avait été tiré dans un immeuble, pourquoi ne pas avoir appelé un docteur au lieu de trimballer la blessée dans les rues par 12° sous zéro ?...

S'ils étaient de passage dans un grand

hôtel... C'était improbable... Le bruit d'un coup de feu y passe rarement inaperçu...

— Pourquoi me regardes-tu comme ça? demanda-t-il brusquement à Lucas dont il semblait découvrir la présence en face de lui.

— J'attends que vous me disiez ce que je dois faire.

— Tu crois que je le sais?

Il sourit de sa propre attitude.

— C'est une histoire qui ne tient pas debout et je me demande par quel bout la prendre. Sans compter que j'ai été réveillé par le téléphone au beau milieu de je ne sais plus quel cauchemar...

— Vous désirez du café?

— Je sors d'en prendre... Un type du genre espagnol et une femme d'apparence nordique sonnent, à une heure dix du matin, à la porte de mon ami. Pardon...

Tout en racontant l'histoire d'un air bourru, il en découvrait les points faibles.

— Le coup de feu n'a pas été tiré dans un hôtel. Dans la rue non plus. Donc, dans un appartement ou une maison particulière...

— Vous les croyez mariés?

— J'ai l'impression que non, tout en restant incapable de dire pourquoi. S'ils avaient appelé leur médecin habituel, à la condition qu'ils en aient un, celui-ci aurait été tenu d'adresser son rapport à la police...

Ce qui l'intriguait le plus, c'était le choix de Pardon, obscur médecin de quartier. Avaient-ils piqué son nom au hasard dans l'annuaire?

— La femme n'est dans aucun hôpital,

dans aucune clinique... Pardon lui a proposé de lui prêter une sortie de bain de sa femme, car la combinaison et la robe étaient trempées de sang... Elle a préféré les remettre... Pourquoi ?

Lucas ouvrit la bouche, mais le commissaire apportait déjà sa propre réponse.

— Parce qu'ils avaient l'intention de filer... Je ne prétends pas que ce soit un brillant raisonnement, mais il se tient...

— La plupart des routes sont à peu près impraticables... A plus forte raison avec une personne blessée dans la voiture...

— J'y ai pensé... Appelle-moi Breuker, à Orly... S'il n'y est pas, passe-moi son idiot d'adjoint dont je ne retiens jamais le nom...

Breuker, un Alsacien qui avait gardé son accent, était commissaire spécial à l'aéroport. Il n'était pas de service et ce fut son adjoint qui répondit.

— Ici, le commissaire-adjoint Marathieu...

— Ici, Maigret, grommela le chef de la Criminelle qu'irritait la voix prétentieuse de son interlocuteur.

— Que puis-je faire pour vous, monsieur le Divisionnaire ?

— Je n'en sais encore rien... Combien de départs avez-vous eu pour l'étranger depuis deux heures, ou plutôt deux heures et demie du matin...

— Deux seulement... Un vol pour Amsterdam et un autre pour les Indes, via Cointrin... Depuis quarante minutes, les départs sont suspendus, à cause du verglas qui recouvre à présent les pistes...

— Vous êtes loin du parking ?

— Pas très loin, mais il n'est pas facile de marcher dehors, toujours à cause du verglas...

— Soyez gentil d'aller quand même voir s'il s'y trouve une Alfa-Roméo rouge...

— Vous avez son numéro ?

— Non. Il ne doit pas y avoir tant d'Alfa-Roméo de cette couleur dans votre parking à cette heure-ci... Si elle y est, demandez aux inspecteurs qui vérifient les passeports s'ils ont vu passer un couple dont voici le signalement...

Il répéta ce qu'il avait déjà dit à Lucas et aux deux autres.

— Rappelez-moi le plus vite possible, au quai des Orfèvres.

Et Maigret, haussant les épaules, d'ajouter en se tournant vers le brave Lucas :

— On ne sait jamais...

C'était une drôle d'enquête et on aurait dit que le commissaire ne la prenait pas tout à fait au sérieux, qu'il s'y engageait un peu comme on s'efforce de résoudre des mots croisés.

— Marathieu doit être furieux... remarqua Lucas. Lui qui est toujours tiré à quatre épingles et qui prend des attitudes de grand chef, l'envoyer barboter dans la neige et faire de l'équilibre sur le verglas...

Il se passa près de vingt minutes avant que le téléphone se fasse entendre. Maigret dit à la cantonade :

— Ici, le commissaire-adjoint Marathieu...

Et ce furent bien les premiers mots qu'il entendit.

— Alors, la voiture rouge ?

— Il y a une Alfa-Roméo rouge au parking, avec des plaques de la région parisienne...

— Fermée à clef ?

— Oui... Un couple correspondant à la description que vous m'avez donnée a pris, à 3 h 10, l'avion pour Amsterdam...

— Vous avez les noms ?

— L'inspecteur qui les a pointés ne se les rappelle pas... Il se souvient seulement des passeports... L'homme avait un passeport colombien et la femme un passeport hollandais... Les deux passeports portaient de nombreux visas et cachets...

— A quelle heure doivent-ils débarquer à Amsterdam ?

— S'il n'y a pas eu de retard en cours de route et si la piste est praticable, ils seront à terre à 4 h 17.

Il était 4 h 22. Le couple était probablement en train de présenter ses passeports et de franchir la douane. De toute façon, surtout dans l'état de l'enquête, Maigret ne pouvait pas se permettre de s'adresser directement à la police de l'aéroport hollandais.

— Alors, patron ? Qu'est-ce que je fais ?

— Rien. Tu attends l'heure de la relève. Quant à moi, je vais me coucher. Bonne nuit, mes enfants... Au fait, il y en aura bien un d'entre vous pour me reconduire chez moi ?...

Une demi-heure plus tard, il dormait profondément à côté de sa femme.

CHAPITRE

2

Il y a des affaires qui se présentent dès le début sur un jour dramatique et qui obtiennent aussitôt de gros titres à la première page des journaux. D'autres banales en apparence, ne méritent que trois ou quatre lignes en sixième page avant qu'on s'aperçoivent qu'un simple fait divers cachait en réalité un drame auréolé de mystère.

Maigret prenait son petit déjeuner en face de sa femme, près de la fenêtre. Il était huit heures et demi du matin et le jour était si terne qu'on avait dû laisser toutes les lampes allumées. Faute d'avoir assez dormi, il se sentait lourd, l'esprit engourdi, plein de pensées confuses.

Sur les vitres, il restait du givre dans les angles et il se souvenait que, quand il était enfant, il y traçait des desseins ou ses initiales; il se rappelait aussi la curieuse sensation, à la fois un peu douloureuse et agréable, lorsque la mince pellicule glacée s'introduisait sous ses ongles.

La neige, après trois jours de grand froid, s'était remise à tomber et c'est à peine si on distinguait les maisons et les entrepôts de l'autre côté du boulevard.

— Tu n'est pas trop fatigué ?

— Encore une tasse de café et je serai en pleine forme.

Malgré lui, il essayait d'évoquer ce couple d'étrangers élégants qui avaient surgi, Dieu sait d'où, dans le cabinet d'un modeste médecin de quartier. Pardon avait tout de suite senti qu'ils appartenaient à un monde différent du sien, de celui de Maigret, du quartier Picpus qu'ils habitaient tous les deux.

Maintes fois, le commissaire avait été appelé à s'occuper de personnages de cette sorte, aussi à l'aise à Londres qu'à New York et à Rome, qui prennent l'avion comme d'autres prennent le métro, descendent dans des palaces où ils retrouvent, dans n'importe quel pays, leurs habitudes et leurs amis, et qui forment en quelque sorte une franc-maçonnerie internationale.

Pas seulement celle de l'argent. Celle d'un certain genre de vie, de certaines attitudes, voire d'une certaine morale différente de la morale du commun des mortels.

Maigret ne se sentait jamais complètement à son aise avec eux et il avait de la peine à dominer une irritation qu'on aurait pu prendre pour de la jalousie.

— A quoi penses-tu ?

— A rien.

Il n'avait pas conscience de penser. Il restait dans le vague et il tressaillit en entendant la sonnerie du téléphone. Il était maintenant neuf heures moins le quart et il allait se lever de table pour endosser son pardessus.

— Allô !...

— Ici, Lucas...

Lucas qui devait quitter son service à 9 heures.

— Je viens de recevoir un coup de fil du commissaire Manicle, du XIVe arrondissement, patron... Un homme a été tué, la nuit dernière, dans un petit hôtel particulier de l'avenue du Parc-Montsouris... Un certain Nahour, un Libanais... La femme de ménage l'a découvert en prenant son service à huit heures...

— Lapointe est arrivé ?

— Je crois que j'entends son pas dans le couloir... Un instant... Oui... C'est bien lui...

— Dis-lui de venir me prendre avec une voiture... Annonce à Manicle que j'arrive aussi vite que possible... Quant à toi, va te coucher...

— Merci, patron...

Maigret répéta à mi-voix :

— Nahour... Nahour...

Encore un étranger. Le couple de la nuit précédente se composait d'une Hollandaise et d'un Colombieen. A présent, Nahour et le Proche-Orient.

— Une nouvelle affaire ? lui demanda sa femme.

— Un crime, semble-t-il, avenue du Parc-Montsouris...

Il enroulait la grosse écharpe autour de son cou, endossait son pardessus, saisissait son chapeau.

— Tu n'attends pas que Lapointe soit ici ?

— J'ai besoin de prendre l'air quelques minutes...

De sorte que Lapointe le trouva au bord du trottoir. Maigret se glissa dans la petite voiture noire.

— Tu as l'adresse exacte ?

— Oui, patron. C'est la dernière maison avant le parc, une maison entourée d'un jardin... Il paraît que vous n'avez pas beaucoup dormi cette nuit...

La circulation était lente, difficile. Par-ci, par-là, une voiture qui avait dérapé était immobilisée en travers de la chaussée et, sur les trottoirs, les piétons ne marchaient qu'avec précaution. La Seine était d'un vert sombre, parsemée de glaçons qui glissaient lentement au fil de l'eau.

Ils s'arrêtèrent devant une villa dont une partie du rez-de- chaussée était vitrée. L'immeuble semblait dater de 1925 ou 1930, quand on a vu un certain nombre de maisons, ultra-modernes alors, pousser dans certains quartiers de Paris, surtout à Auteuil et à Montparnasse.

Un sergent de ville, qui faisait les cent pas, salua le commissaire et lui ouvrit une porte de fer donnant accès à un petit jardin où se dressait un arbre dénudé.

Les deux hommes suivirent l'allée, gravirent le perron de quatre marches et trouvèrent, dans le corridor, un autre policier qui les introduisait dans le studio.

Manicle était là avec un de ses inspecteurs. C'était un petit homme sec et moustachu que Maigret connaissait depuis plus de vingt ans et les deux hommes se serrèrent la main, après quoi le commissaire de police désigna un corps étendu derrière un bureau d'acajou.

— La femme de ménage, une certaine Louise Bodin, nous a alertés par téléphone à huit heures cinq minutes. Elle prend chaque jour son service à huit heures. Ellc habite à deux pas, rue du Saint-Gothard.

— Qui est Nahour ?

— Félix Nahour, 42 ans, citoyen libanais, sans profession. Il a emménagé dans la maison voilà six mois et il la loue meublée à un peintre qui est parti pour les États-Unis...

Il faisait très chaud dans la pièce, malgré les immenses vitres en partie couvertes de givre comme boulevard Richar-Lenoir.

— Les rideaux étaient ouverts quand vous êtes arrivés ?

— Non... Ils étaient fermés... Comme vous le voyez, ce sont des rideaux épais, doublés de feutre, afin d'empêcher le froid de pénétrer...

— Le médecin n'est pas arrivé ?

— Un médecin de quartier est passé tout à l'heure et a confirmé la mort, qui n'est que trop évidente... J'ai alerté le médecin-légiste que j'attends d'un moment à l'autre en même temps que le Parquet...

Maigret se tourna vers Lapointe.

— Téléphone donc à Moers qu'il vienne

tout de suite avec ses hommes de l'Identité Judiciaire... Non, pas d'ici... Il peut y avoir des empreintes sur le combiné... Tu trouveras un bistrot ou un téléphone public dans les environs...

Il retira son pardessus, son écharpe, car, après une nuit presque sans sommeil, la chaleur lui montait à la tête et lui donnait le vertige.

La pièce était vaste. Une moquette bleu pâle en recouvrait le plancher et le mobilier, bien que disparate, était de bon goût et de valeur.

En contournant le bureau empire, pour voir le mort de plus près, le commissaire aperçut, près du sous-main, une photographie dans un cadre d'argent.

C'était le portrait d'une femme jeune, très blonde au sourire morose, qui avait près d'elle une fillette de trois ans et, sur les genoux, un bébé d'un an environ.

Les sourcils froncés, il saisit le cadre pour regarder l'image de plus près et il discerna une cicatrice qui partait de l'œil gauche et, sur deux centimètres, se dirigeait vers l'oreille.

— C'est sa femme ?

— Je suppose. J'ai fait chercher dans nos registres. Elle est inscrite sous le nom d'Evelina Nahour, née Wiemers, originaire d'Amsterdam...

— Elle est dans la maison ?

— Non. On a frappé à sa porte. Faute de réponse, on a ouvert. La chambre présente un certain désordre, mais le lit n'a pas été défait...

Maigret se penchait sur le corps recroquevillé dont il ne voyait que la moitié du visage. Autant qu'il pouvait en juger sans rien déplacer, une balle avait pénétré dans la gorge, sectionnant la carotide, de sorte qu'il y avait sur le tapis une impressionnante mare de sang.

Nahour était plutôt petit, grassouillet, et portait une courte moustache brune. Son crâne commençait à se dégarnir. Il y avait une alliance à sa main gauche, très soignée et, de la main droite, il avait vainement essayé d'empêcher le sang de couler.

— Vous savez qui vivait dans la maison?

— Je n'ai fait qu'interroger succinctement la femme de ménage, préférant vous laisser ce soin. J'ai demandé ensuite au secrétaire et à la femme de chambre de rester en haut, où un de mes hommes les empêche de communiquer entre eux.

— Où est cette Mme Bodin?

— Dans la cuisine... Je l'appelle?

— Si vous le voulez bien...

Lapointe venait de rentrer en annonçant :

— C'est fait, patron... Moers arrive...

Louise Bodin, entra le visage buté, avec une expression de défi. Maigret connaissait ce type-là, celui de la majorité des femmes de ménage de Paris, des êtres qui ont souffert, que la vie a malmenés et qui, sans espoir, attendent une vieillesse encore plus pénible. Alors, elles se durcissent et, méfiantes, en veulent au monde entier de leurs malheurs.

— Vous vous appelez Louise Bodin?

— Mme Bodin, oui.

Elle soulignait le *madame*, qui était à ses yeux le dernier vestige de sa dignité de femme. Ses vêtements pendaient sur un corps maigre et ses yeux sombres avaient un regard si intense qu'ils en avaient quelque chose de fiévreux.

— Vous êtes mariée ?

— Je l'ai été...

— Votre mari est mort ?

— Si vous tenez à le savoir, il est à Fresnes, et cela vaut mieux ainsi...

Maigret préféra ne pas lui demander de détails sur ce qui avait conduit son mari en prison.

— Vous travaillez dans cette maison depuis longtemps ?

— Cinq mois demain...

— Comment y êtes-vous entrée ?

A la suite d'une petite annonce... Avant, je faisais une heure par-ci, un après-midi ou une matinée par-là..

Elle ricana, en se tournant vers le corps :

— Heureusement qu'ils avaient mis dans l'annonce : place stable !

— Vous ne couchiez pas ici ?

— Jamais. Je rentrais chez moi à huit heures du soir et je revenais à huit heures le lendemain matin...

— M. Nahour n'exerçait aucune profession ?

— Il devait bien faire quelque chose, puisqu'il avait un secrétaire et qu'il restait pendant des heures plongé dans ses papiers...

— Qui est ce secrétaire ?

— Un type de son pays, M. Fouad...

— Où est-il en ce moment ?

Elle se tourna vers le commissaire du quartier.

— Dans sa chambre...

Elle parlait d'une voix agressive.

— Vous ne l'aimez-pas ?

— Pourquoi est-ce que je l'aimerais ?

— Vous êtes arrivée ce matin à huit heures... Etes-vous tout de suite entrée dans cette pièce ?

— Je suis d'abord allée dans la cuisine pour mettre de l'eau à chauffer sur la cuisinière à gaz et pour pendre mon manteau dans le placard...

— Ensuite, vous avez ouvert cette porte ?..

— C'est toujours par ici que je commençais le ménage...

— Quand vous avez vu le corps, qu'avez-vous fait ?

— J'ai téléphoné au commissariat...

— Sans avertir M. Fouad ?

— Sans avertir personne...

— Pourquoi ?

— Parce que je me méfie des gens, et en particulier de ceux qui habitent cette maison...

— Pour quelle raison vous méfiez-vous d'eux ?

— Parce que ce ne sont pas des êtres normaux...

— Que voulez-vous dire ?

Elle haussa les épaules et laissa tomber :

— Je me comprends... Personne ne peut m'empêcher d'avoir mes petites idées, n'est-ce pas ?

— En attendant la police, vous êtes montée avertir le secrétaire ?

— Non. Je suis allée préparer mon café dans la cuisine, le matin, je n'ai pas le temps de le boire chez moi...

— M. Fouad n'est pas descendu ?

— Il descend rarement avant dix heures...

— Il dormait ?

— Je vous répète que je ne suis pas montée.

— Et la femme de chambre ?

— C'est la femme de chambre de Madame. Elle ne s'occupait pas de Monsieur. Comme Madame restait au lit jusqu'à midi et même plus tard, rien ne l'empêchait d'en profiter...

— Comment s'appelle-t-elle ?

— Nelly quelque chose... J'ai entendu une fois où deux prononcer son nom de famille, mais je ne l'ai pas retenu... Un nom hollandais... Elle est Hollandaise, comme Madame...

— Vous ne l'aimez pas non plus ?

— C'est un crime ?

— Je vois, d'après cette photographie, que votre patronne a deux enfants... Ils sont dans la maison ?

— Ils n'ont jamais mis les pieds dans la maison...

— Où vivent-ils ?

— Quelque part sur la Côte d'Azur, avec leur nurse...

— Leurs parents allaient souvent les voir ?

— Je n'en sais rien. Ils voyageaient beaucoup, presque toujours séparément, mais je ne leur ai jamais demandé où ils allaient...

La camionnette de l'Identité Judiciaire

s'arrêtait devant le jardin et Moers s'avançait avec ses collaborateurs.

— M. Nahour recevait beaucoup ?

— Qu'est-ce que vous appelez recevoir ?

— Il invitait des amis à déjeuner ou à dîner ?

— En tout cas pas depuis que je suis ici. D'ailleurs, il dînait le plus souvent en ville.

— Et sa femme ?

— Elle aussi.

— Ensemble ?

— Je ne les ai jamais suivis.

— Des visites ?

— Parfois Monsieur recevait quelqu'un dans son bureau...

— Un ami ?

— Je n'écoute pas aux portes... Presque toujours des étrangers, des gens de son pays, avec qui il parlait une langue que je ne comprends pas...

— M. Fouad assistait à ces entretiens ?

— Parfois oui, parfois non.

— Un instant, Moers... Vous ne pouvez pas commencer avant l'arrivée du médecin légiste... Je vous remercie, madame Bodin... Je vous prie de rester dans la cuisine et de ne faire aucun ménage jusqu'à ce que les lieux aient été examinés .. Où est la chambre de Mme Nahour ?

— Là-haut au premier...

— M. Nahour et sa femme occupaient la même chambre ?

— Non. L'appartement de Monsieur est au rez-de-chaussée, de l'autre côté du couloir...

— Il n'y a pas de salle à manger ?
— Le studio servait de salle à manger...
— Je vous remercie de votre collaboration...
— Il n'y a pas de quoi...
Et elle sortit avec dignité.
L'instant d'après, Maigret gravissait l'escalier recouvert d'un tapis du même bleu lavande que le plancher du studio. Manicle et Lapointe le suivaient. Su le palier du premier étage, ils trouvèrent un inspecteur du quartier, en civil, qui fumait sa cigarette avec résignation.
— La chambre de Mme Nahour ?...
— Celle-ci ,juste en face...
La pièce était spacieuse, meublée en Louis XVI. Si le lit n'avait pas été défait, il n'en régnait pas moins un certain désordre. Une robe verte et du linge traînaient sur le tapis. Les portes des armoires, grandes ouvertes, faisaient penser à un départ précipité. Plusieurs cintres vides, dont un sur le lit et un autre sur un fauteuil recouvert de soie, semblaient indiquer qu'on avait saisi en hâte des vêtements pour les fourrer dans une valise.
Maigret ouvrit négligemment plusieurs tiroirs.
— Veux-tu appeler la femme de chambre, Lapointe ?
Cela prit un certain temps. Après plusieurs minutes seulement, une jeune femme presque aussi blonde que Mme Nahour, avec des yeux d'un bleu étonnamment clair, se montra, suivie de Lapointe, dans l'encadrement de la porte.

Elle ne portait pas une blouse de travail, ni la robe noire et le tablier blanc traditionnels, mais un tailleur de tweed qui la moulait assez étroitement.

C'était la Hollandaise type des boîtes de cacao et il ne lui manquait que le bonnet à deux pointes de son pays.

— Entrez... Asseyez-vous...

Son visage restait vide d'expression, comme si elle n'avait pas compris ce qui se passait, ni qui étaient ces gens debout devant elle.

— Comment vous appelez-vous ?

Elle hocha la tête, ouvrit quand même un peu la bouche pour laisser tomber :

— Pas comprendre...

— Vous ne parlez pas le français ?

Elle fit signe que non.

— Seulement le néerlandais ?

Maigret envisageait déjà la complication que cela serait de trouver un traducteur.

— English too.

— Vous parlez anglais ?

— Yes...

Le peu que Maigret en savait ne suffisait pas pour un interrogatoire peut-être important.

— Vous voulez que je traduise, patron ? proposa timidement Lapointe.

Le commissaire le regarda, surpris, car le jeune inspecteur ne lui avait jamais dit qu'il connaissait l'anglais..

— Où l'as-tu appris ?

— Je l'étudie journée après journée depuis un an...

La jeune fille les regardait tour à tour. Quand on lui posait une question, elle ne répondait pas aussitôt mais prenait le temps d'assimiler ce qu'on venait de lui dire.

Ce n'était pas une méfiance agressive, comme chez la femme de ménage, plutôt une sorte d'impassibilité, naturelle ou acquise. Le faisait-elle exprès de se montrer d'une intelligence fort au-dessous de la moyenne?

Même en anglais, les phrases ne semblaient atteindre son cerveau qu'avec peine et ses réponses étaient brèves, élémentaires.

Elle s'appelait Velthuis, était âgé de vingt-quatre ans, née en Frise, dans le nord des Pays-Bas, d'où, dès l'âge de quinze ans, elle était partie pour Amsterdam.

— Elle est entrée tout de suite au service de Mme Nahour?

Lapointe formulait la question, n'obtenait pour réponse que le mot :

— *No.*

— Quand-elle est devenue sa domestique?

— Il y a six ans...

— Comment?

— Par une annonce parue dans un journal d'Amsterdam.

— Mme Nahour était-elle déjà mariée?

— Oui.

— Depuis quand?

— Elle ne sait pas.

Maigret avait toutes les peines du monde à garder son grand-froid, car, avec des « oui » et des « non », ou plutôt des « No » et des « Yes », cet interrogatoire menaçait de durer longtemps.

— Dis-lui que je n'aime pas qu'on me prenne pour un imbécile.

Lapointe, gêné, traduisit, et la jeune fille regarda le commissaire avec une légère surprise, pour reprendre bien vite son air de totale indifférence.

Deux voitures sombres s'arrêtaient au bord du trottoir et Maigret grommelait :

— Le Parquet... Reste avec elle, veux-tu ?... Essaie d'en tirer le maximum...

*
* *

Le subsitut Noiret était un homme d'un certain âge, à la barbiche grise et démodée, qui, après être passé par la plupart des tribunaux de province, avait enfin été nommé à Paris où il attendait sa retraite en évitant prudemment les histoires.

Le médecin-légiste, un certain Colinet, penché sur le cadavre, remplaçait depuis un certain temps le docteur Paul avec qui Maigret avait travaillé pendant tant d'années. D'autres aussi avaient disparu avec le temps, comme le juge Coméliau, que le commissaire aurait pu appeler son ennemi intime et qu'il lui arrivait de regretter.

Quant au juge Cayotte, relativement jeune, il avait pour principe de laisser la police travailler seule deux ou trois jours avant de se mêler de l'enquête.

Deux fois, le médecin avait changé la position du corps et ses mains étaient gluantes de sang coagulé. Il chercha Maigret des yeux.

— Bien entendu, je ne puis rien vous dire

de définitif avant l'autopsie. Le point d'entrée de la balle, ici, me donne à penser qu'il s'agit d'une arme de moyen, sinon de gros calibre, et que le coup de feu a été tiré d'une distance de plus de deux mètres.

« Étant donné qu'il n'y a pas d'orifice de sortie, la balle est restée dans le corps. Comme je la vois mal s'arrêter dans la gorge, où elle n'aurait pas rencontré une résistance suffisante,je suppose que, tirée plus ou moins de bas en haut, elle s'est logée dans la boîte crânienne... »

— Vous voulez dire que la victime était debout alors que le meurtrier, lui, était assis, de l'autre côté du bureau, par exemple ?

— Pas nécessairement assis, mais il a pu tirer sans lever le bras, la main à la hanche...

Ce n'est que quand les hommes du fourgon mortuaire soulevèrent le corps pour l'étendre sur une civière qu'on aperçut sur le tapis un automatique à crosse de nacre calibre 6.35.

Le substitut et le juge regardèrent Maigret pour savoir se qu'il en pensait.

— Je suppose, demanda le commissaire au médecin-légiste, que la blessure n'a pu être produite par cette arme ?

— C'est mon avis, jusqu'à plus ample informé.

— Moers, voulez-vous examiner le pistolet ?

Moers se saisit d'un linge pour le prendre, le renifler, puis pour en retirer le chargeur.

— Il manque une balle, patron...

Puisqu'on emportait le corps, les hommes de l'Identité Judiciaire pouvaient se mettre au travail et le photographe opérer. Il avait déjà pris des clichés du mort. Tout le monde allait et venait. De petits groupes se formaient. Le substitut Noiret tirait le commissaire. par la manche.

— De quelle nationalité croyez-vous qu'il soit ?

— Libanais...

— Pensez-vous qu'il s'agisse d'un crime politique ?

Cette perspective l'effrayait, car il se souvenait de certaines affaires de ce genre qui avaient plutôt mal tourné pour la plupart de ceux qui s'en étaient occupés.

— Je crois pouvoir vous donner une réponse assez rapidement...

— Vous avez questionné le personnel ?

— La femme de ménage, qui n'est pas très bavarde, et j'ai posé quelques questions à la femme de chambre, qui l'est encore moins. Il est vrai qu'elle ne semble pas parler un mot de français et que c'est en anglais que l'inspecteur Lapointe est occupé, là-haut, à la questionner....

— Tenez-moi au courant le plus tôt possible...

Il cherchait le juge pour repartir avec lui, car cette descente du Parquet n'était qu'une formalité.

— Vous n'avez plus besoin de moi ni de mes hommes ? demandait le commissaire du quartier.

— De vous, non, mon vieux, mais cela m'aiderait que vous me laissiez vos inspecteurs un certain temps encore, ainsi que le sergent de ville qui garde l'entrée.

— A votre disposition...

Le salon se vidait ainsi petit à petit et Maigret se trouva à certain moment campé devant une bibliothèque qui comportait plus de trois cents volumes. Il fut surpris de constater que c'étaient presque tous des ouvrages scientifiques, la plupart traitant de mathématiques, et tout un rang de livres, en français et en anglais, étaient consacrés au calcul des probabilités.

Ouvrant les armoires, sous les rayons, il les trouva pleins de feuillets, certains ronéotypés, qui ne comportaient que des colonnes de chiffres.

— Ne pars pas avant de m'avoir revu, Moers... Quant à l'arme, tu l'enverras, aux fins d'expertise, chez Gastinne-Renette... Au fait, joins-y donc cette balle...

Il prit dans sa poche la balle que Pardon lui avait remise et qui était enveloppée d'un morceau de coton.

— Où l'avez-vous trouvée ?

— Je te raconterai ça plus tard... J'aimerais savoir d'urgence si la balle a été tirée avec cet automatique...

Tout en allumant sa pipe, il montait l'escalier, jetait un coup d'œil dans la chambre où Lapointe et la jeune Hollandaise étaient assis face à face, l'inspecteur prenant des notes sur un bloc en se servant de la coiffeuse comme de table.

— Le secrétaire ? demanda-t-il à l'inspecteur du quartier qui s'ennuyait dans le couloir.

— La porte du fond.
— Il n'a pas rouspété ?
— De temps en temps, il entrouve sa porte pour écouter. Il a reçu un coup de téléphone...
— Qu'est-ce que le commissaire lui a dit, ce matin ?
— Que son patron avait été assassiné et qu'il était prié de ne pas quitter sa chambre jusqu'à nouvel ordre...
— Vous étiez présent ?
— Oui.
— Il a paru surpris ?
— Ce n'est pas homme à manifester ses sentiments. Vous verrez vous-même.

Maigret frappa en même temps qu'il tournait le bouton de la porte et qu'il poussait le battant. La chambre était en ordre et, si le lit avait servi durant la nuit, il avait été refait avec soin. Rien ne traînait. Un petit bureau se trouvait devant la fenêtre, un fauteuil de cuir fauve près de ce bureau et, dans le fauteuil, un homme regardait le commissaire s'avancer.

Il était difficile de lui donner un âge. Il avait le type arabe très prononcé, le teint sombre et son visage, bien que raviné, pouvait aussi bien être celui d'un homme de quarante ans que d'un homme de soixante. Ses cheveux étaient drus, épais, d'un noir d'encre, sans un fil blanc.

Il ne se levait pas, ne faisait rien pour accueillir le visiteur, se contentant de le regarder de ses yeux ardents sans qu'on pût lire quoi que ce soit sur ses traits.

— Je suppose que vous parlez le français ?

Il ne répondit que par un signe de tête.

— Commissaire Maigret, chef de la Brigade Criminelle. Je suppose que vous êtes le secrétaire de M. Nahour ?

Nouveau signe affirmatif.

— Puis-je vous demandez votre nom exact ?

— Fouad Ouéni.

La voix était sourde, comme s'il souffrait d'une laryngite chronique.

— Vous êtes au courant de ce qui s'est passé cette nuit dans le studio ?

— Non.

— On vous a pourtant appris que M. Nahour a été tué.

— Rien d'autre.

— Où étiez-vous ?

Aucun trait ne frémissait. Maigret avait rarement rencontré aussi peu de coopération que depuis qu'il était entré dans cette maison. La femme de ménage ne répondait aux questions qu'évasivement, avec hostilité. La femme de chambre hollandaise se contentait, elle, de monosyllabes.

Quant à ce Fouad Ouéni, qui portait un vêtement noir très correct, une chemise blanche et une cravate gris sombre, il regardait et écoutait son interlocuteur avec la plus complète indifférence, sinon avec mépris.

— Vous avez passé la nuit dans cette chambre ?

— A partir d'une heure et demie du matin.

— Vous voulez dire que vous êtes rentré à une heure et demie du matin ?

— Je croyais que vous aviez compris.

— Où étiez-vous jusqu'à cette heure-là ?
— Au cercle Saint-Michel.
— Un cercle de jeu ?
L'autre se contentait de hausser les épaules.
— Où se trouve-t-il exactement ?
— Au-dessus du bar des Tilleuls.
— Vous avez joué ?
— Non.
— Qu'est-ce que vous avez fait ?
— J'ai noté les coups.

N'était-ce pas l'ironie qui lui donnait cet air satisfait de lui-même ? Maigret s'assit sur une chaise, continua à poser des questions comme s'il ne s'apercevait pas de l'hostilité de son vis-à-vis.

— Lorsque vous êtes rentré, y avait-il de la lumière dans le studio ?
— Je ne sais pas.
— Les rideaux étaient-ils fermés ?
— Je suppose. Ils le sont tous les soirs.
— Vous n'avez pas vu de la lumière filtrer sous la porte ?
— Aucune lumière ne filtre sous la porte.
— M. Nahour, à cette heure-là, était-il généralement couché ?
— Cela dépendait.
— De quoi ?
— De lui.
— Il sortait souvent le soir ?
— Quand il en avait envie.
— Où allait-il ?
— Où il voulait.
— Seul ?
— Il partait seul de la maison.
— En voiture ?

— Il appelait un taxi.
— Il ne conduisait pas ?
— Il n'aimait pas conduire. De jour, je lui servais de chauffeur.
— De quelle marque est son auto ?
— Bentley.
— Elle est au garage ?
— Je n'ai pas vérifié. On m'a empêché de quitter ma chambre.
— Et Mme Nahour ?
— Qu'est-ce que vous voulez savoir ?
— Elle a une voiture aussi ?
— Une Triumph de couleur verte.
— Elle est sortie, hier soir ?
— Je n'avais pas à m'occuper d'elle.
— A quelle heure avez-vous quitté la maison ?
— Dix heures et demie.
— Elle était ici ?
— Je l'ignore.
— Et M. Nahour ?
— Je ne sais pas s'il était rentré. Il a dû dîner en ville.
— Vous savez où ?
— Probablement au *Petit Beyrouth*, où il dînait le plus souvent.
— Qui faisait la cuisine dans la maison ?
— Personne et tout le monde.
— Le petit déjeuner ?
— Moi pour M. Félix.
— M. Nahour.
— Pourquoi l'appelez-vous M. Félix ?
— Parce qu'il y a aussi M. Maurice.
— Qui est M. Maurice ?
— Le père de M. Nahour.

— Il vit ici ?
— Non. Au Liban.
— Et encore ?
— M. Pierre, le frère de M. Félix.
— Qui vit où ?
— À Genève.
— Qui vous a téléphoné ce matin ?
— On ne m'a pas téléphoné.
— Pourtant, on a entendu une sonnerie dans votre chambre.
— C'est moi qui ai demandé Genève et on m'a rappelé quand on a eu le numéro.
— M. Pierre ?
— Oui.
— Vous l'avez mis au courant ?
— Je lui ai dit que M. Félix était mort. M. Pierre sera à Orly dans quelques minutes, car il a pris le premier avion.
— Vous savez ce qu'il fait à Genève ?
— Banquier.
— Et M. Maurice Nahour, à Beyrouth ?
— Banquier.
— Et M. Félix ?
— Il n'avait pas de profession.
— Il y a longtemps que vous étiez à son service ?
— Je n'étais pas à son service.
— Vous ne remplissiez pas les fonctions de secrétaire ? Vous avez dit tout à l'heure que vous prépariez son petit déjeuner et que vous lui serviez de chauffeur.
— Je l'aidais.
— Depuis longtemps ?
— Dix-huit ans.
— Vous le connaissiez déjà à Beyrouth ?

— J'ai fait sa connaissance à la Faculté de Droit.

— A Paris ?

Il fit oui de la tête, toujours impassible et raide dans son fauteuil, tandis que Maigret, sur sa chaise, s'impatientait.

— Il avait des ennemis ?

— Pas à ma connaissance.

— Il s'occupait de politique ?

— Certainement pas.

— En somme, vous êtes sorti vers dix heures et demie sans savoir qui était ou n'était pas dans la maison. Vous êtes allé dans un cercle de jeu du boulevard Saint-Michel, où vous avez noté les coups sans jouer. Vous êtes rentré ensuite à une heure et demie et vous êtes monté ici, ignorant toujours où se trouvait chacun. C'est bien cela ? Vous n'avez rien vu, rien entendu, et vous ne vous attendiez pas à ce qu'on vous réveille pour vous annoncer que M. Nahour avait été abattu d'une balle.

— C'est vous qui m'apprenez qu'on s'est servi d'une arme à feu.

— Que savez-vous de la vie familiale de Félix Nahour ?

— Rien. Cela ne me regardait pas.

— C'était un ménage heureux ?

— Je l'ignore.

— J'ai l'impression, à vous entendre, que le mari et la femme étaient rarement ensemble.

— Je pense que c'est une situation assez fréquente.

— Pourquoi les enfants ne vivent-ils pas à Paris ?

— Peut-être sont-ils mieux sur la côte d'Azur ?

— Où M. Nahour habitait-il avant de louer cette maison ?

— Un peu partout... En Italie... Un an à Cuba, avant la révolution... Nous avons occupé aussi une villa à Deauville...

— Vous allez souvent au cercle Saint-Michel ?

— Deux ou trois fois par semaine.

— Et vous ne jouez jamais ?

— Rarement.

— Voulez-vous descendre avec moi ?

Ils se dirigèrent vers l'escalier et, debout, Fouad Ouéni paraissait encore plus maigre et plus sec que dans son fauteuil.

— Quel âge avez-vous ?

— Je ne sais pas. Dans la montagne, lorsque je suis né, il n'existait pas d'état civil. Le chiffre inscrit sur mon passeport est cinquante et un ans.

— Vous en avez plus, ou moins ?

— Je ne sais pas.

Les hommes de Moers, dans le studio, remettaient leurs appareils dans leurs boîtes.

Quand la camionnette s'éloigna et que les deux hommes restèrent seuls, Maigret demanda :

— Regardez autour de vous et dites-moi s'il manque quelque chose dans la pièce. Ou bien s'il y a quelque chose en trop.

Ouéni s'arracha à la contemplation de la tache de sang, ouvrit le tiroir de droite du bureau et remarqua :

— L'automatique n'est plus là.

— Quel genre d'arme ?
— Browning 6.35.
— A crosse de nacre ?
— Oui.
— Pourquoi Félix Nahour avait-il choisi une arme considérée plutôt comme une arme de femme ?
— Elle appartenait jadis à Mme Nahour.
— Il y a combien d'années ?
— Je l'ignore.
— Il l'a lui a prise ?
— Il ne me l'a pas dit.
— Il possédait un permis de port d'armes ?
— Il ne portait jamais ce pistolet sur lui.
Considérant la question comme réglée, le Libanais ouvrit les autres tiroirs qui conte naient un certain nombre de dossiers, puis se dirigeait vers les bibliothèques, en ouvrait les portes du bas.
— Pouvez-vous me dire ce que sont ces listes de chiffres ?
Ouéni le regarda avec un étonnement mêlé d'ironie, comme si Maigret eût dû comprendre de lui-même.
— Ce sont les coups joués dans les principaux casinos. Les listes ronéotypées sont envoyées par des agences à leurs abonnés. Les autres, M. Félix s'arrangeait pour les obtenir d'un employé des jeux.
Maigret allait poser une autre question, mais Lapointe paraissait dans l'encadrement de la porte.
— Vous voulez monter un instant, patron ?
— Du nouveau ?

— Pas grand-chose, mais je crois qu'il vaut mieux vous mettre au courant.

— Je vous demanderai, monsieur Ouéni, de ne pas quitter l'immeuble avant que je ne vous en donne l'autorisation.

— Je peux aller me préparer du café ?

Maigret, haussant les épaules, lui tourna le dos.

CHAPITRE

3

Maigret s'était rarement senti aussi dépaysé, comme en dehors de la vie normale, avec un malaise sembable à celui qui nous prend quand, dans un rêve, le sol se dérobe sous nos pieds.

Dans les rues enneigées, les rares passants marchaient en s'efforçant de garder l'équilibre, les voitures, les taxis, les autobus roulaient au ralenti tandis qu'un peu partout des camions de sable ou de sel longeaient au pas les trottoirs.

Derrière presque toutes les fenêtres brûlaient des lampes électriques et la neige tombait toujours d'un ciel gris ardoise.

Il aurait presque pu dire ce qui se passait dans chacune de ces petites cases où des humains respiraient. Depuis plus de trente ans, il avait appris à connaître Paris quartier par quartier, rue par rue, et pourtant, ici, il se sentait plongé dans un monde différent, où les réactions des êtres étaient imprévisibles.

Comment vivait Félix Nahour, quelque heures plus tôt encore? Quelles étaient ses relations exactes avec ce secrétaire qui n'en était pas un, avec sa femme et ses deux enfants? Pourquoi ceux-ci étaient-ils sur la Côte d'Azur et pourquoi...

Il y avait tant de pourquoi qu'il ne pouvait que les aborder un à un. Rien n'était clair. Rien n'était net. Rien ne se passait comme dans d'autres familles, dans d'autres foyers.

Pardon avait ressenti le même malaise, la nuit précédente, quand un couple étrange avait envahi son bureau de médecin de quartier.

L'histoire du coup de feu tiré d'une voiture en marche était improbable et improbable aussi la vieille femme qui aurait désigné la maison du docteur.

Félix Nahour, avec ses ouvrages de mathématiques et ses listes des coups gagnants ou perdants dans les différents casinos, ne se classait dans aucune catégorie que Maigret connaissait et Fouad Ouéni sortait, lui aussi, d'un autre univers.

Il lui semblait que tout, ici, était faux, que chacun mentait et, tout en montant l'escalier, Lapointe lui confirmait son intuition.

— Je me demande, patron, si cette fille est bien normale. D'après ses réponses, quand elle accepte de répondre, d'après le regard qu'elle pose sur moi, elle semble avoir la candeur et la mentalité d'une enfant de dix ans, mais je me demande si ce n'est pas une ruse, ou un jeu.

En entrant dans la chambre de Mme Nahour,

où Nelly était toujours assise sur une chaise recouverte de soie, Lapointe remarquait :

— Au fait, patron, les enfants n'ont plus l'âge qu'ils avaient lorsque la photo a été prise. La fille a maintenant cinq ans et le garçonnet deux.

— Tu sais où ils habitent avec la nurse ?

— A Mougins, pension des Palmiers.

— Depuis longtemps ?

— Autant que je peux comprendre, le garçon est né à Cannes et n'est jamais venu à Paris.

La femme de chambre les regardait de ses yeux clairs, transparents, sans paraître comprendre un mot de ce qu'ils disaient.

— J'ai trouvé d'autres photographies dans un tiroir qu'elle m'a désigné... Une douzaine d'instantanés des enfants, bébés, puis marchant déjà, et celle-ci, prise sur une plage, de Nahour et de sa femme, plus jeunes, probablement à l'époque où ils se sont rencontrés... Voici enfin une photo de Mme Nahour avec une amie, près d'un canal d'Amsterdam...

L'amie, était laide, le nez épaté, les yeux trop petits, mais elle n'en avait pas moins un visage ouvert et sympathique.

— Les seules lettres trouvées dans la chambre sont des lettres d'une jeune fille, en néerlandais. Elles s'étendent sur sept ans à peu près et la dernière date d'une dizaine de jours.

— Nelly n'est jamais allée en Hollande avec sa patronne ?

— Elle prétend que non.

— Celle-ci s'y rendait souvent ?

— De temps en temps... Seule, paraît-il... Mais je ne suis pas certain que, même en anglais, Nelly comprenne exactement les questions que je lui pose...

— Tu chercheras un traducteur pour ces lettres... Que dit-elle en ce qui concerne la soirée d'hier et la nuit ?

— Rien. Elle ne sait rien. La maison n'est pas tellement grande et pourtant chacun semble tout ignorer de ce que font les autres. Elle croit que Mme Nahour a dîné en ville...

— Seule ? Personne n'est venu la chercher ? Elle n'a pas fait appeler un taxi...

— Elle prétend qu'elle ne sait pas...

— Elle n'a pas aidé Mme Nahour à s'habiller ?

— A cette question, elle répond qu'on ne l'a pas sonnée... Elle a mangé dans la cuisine, comme d'habitude, puis elle est montée dans sa chambre, elle a lu un journal hollandais et elle s'est couchée... Elle m'a montré le journal, qui date d'avant-hier...

— Elle n'a pas entendu de pas dans le couloir ?

— Elle n'y a pas fait attention... Une fois endormie, il paraît que rien ne la réveille...

— A quelle heure, le matin, prend-elle son service ?

— Il n'y a pas d'heure fixe...

Maigret essayait en vain de deviner ce qui se passait derrière le front poli comme de l'ivoire de la femme de chambre qui lui souriait vaguement.

— Dis-lui qu'elle peut aller prendre son

petit déjeuner mais qu'elle n'a pas le droit de quitter la maison...

Quand Lapointe eut traduit ces instructions, Nelly se leva, fit une petite révérence de pensionnaire et se dirigea paisiblement vers l'escalier.

— Elle ment, patron...

— Comment le sais-tu ?

— Soi-disant, elle n'est pas entrée cette nuit dans cette chambre. Ce matin, les inspecteurs du quartier l'ont empêchée de sortir de la sienne. Cependant, la première fois que je lui ai demandé quel manteau portait sa patronne, elle n'a pas hésité à répondre :

« — Celui de loutre...

» Or, les armoires étaient fermées et, dans l'une, j'ai trouvé un manteau de vison et un autre en astrakan gris... »

— Je voudrais que tu prennes la voiture et que tu te rendes chez le docteur Pardon, boulevard Voltaire. Montre-lui la photographie qui se trouve en bas sur le bureau...

Il y avait un appareil téléphonique dans la chambre. Quand il se mit à sonner, Maigret décrocha, entendit deux voix, celle du médecin-légiste et celle d'Ouéni.

— Oui, disait ce dernier. Il est encore dans la maison... Attendez... Je vais l'avertir...

— C'est inutile, M. Ouéni, intervint Maigret. Voulez-vous raccrocher, s'il vous plaît ?...

Les trois appareils, dont celui du secrétaire, étaient donc branchés sur la même ligne.

— Allô, ici Maigret...

— Ici Colinet... Je viens seulement de commencer l'autopsie, mais j'ai pensé que vous aimeriez connaître dès maintenant le premier résultat acquis... Il ne s'agit pas d'un suicide...

— Je ne l'ai jamais envisagé...

— Moi non plus, mais nous avons désormais une certitude... Sans être expert en balistique, je peux dire que la balle que j'ai retrouvée dans la boîte crânienne, comme je m'y attendais, a été tirée par une arme de moyen ou de fort calibre, du 7.32 ou du 45. J'évalue la distance entre trois et quatre mètres et le crâne a été fendu...

— L'heure de la mort ?

— Il faudra, pour l'établir avec plus de précision, que je connaisse l'heure du dernier repas et que je procède à l'analyse des viscères...

— A vue de nez ?

— Vers le milieu de la nuit...

— Je vous remercie, Docteur...

Lapointe était sorti et on entendait le moteur de sa voiture tourner dans l'avenue.

Deux hommes, en bas, parlaient dans une langue étrangère que le commissaire finit par reconnaître pour de l'arabe. Il descendit, trouva dans le couloir Ouéni en conversation avec un inconnu, ainsi que l'inspecteur du quartier qui les observait sans oser intervenir.

Le nouveau venu ressemblait à Félix Nahour, en un peu plus âgé, en plus mince, et il était aussi plus grand. Ses cheveux sombres commençaient à s'argenter aux tempes.

— Monsieur Pierre Nahour ?

— Vous êtes de la police ? questionnait son interlocuteur avec méfiance.

— Commissaire Maigret, chef de la Brigade Criminelle...

— Qu'est-il arrivé à mon frèrc ? Où est son corps ?

— Il a été tué cette nuit d'une balle dans la gorge et le corps a été transporté à l'Institut Médico-légal...

— Je pourrai le voir ?

— Tout à l'heure.

— Pourquoi pas maintenant ?

— Parce qu'on est occupé à pratiquer l'autopsie... Entrez, monsieur Nahour...

Il hésita un instant à faire pénétrer Ouéni dans le bureau, décida en fin de compte :

— Voulez-vous aller attendre dans votre chambre ?

Ouéni et Nahour se regardèrent et Maigret ne lut aucune sympathie pour le secrétaire dans les yeux du nouveau venu.

La porte refermée, le banquier de Genève demanda :

— Cela s'est passé ici ?

Le commissaire lui désigna la large tache de sang sur le tapis et son interlocuteur se recueillit un instant comme il l'aurait fait devant le corps.

— Comment est-ce arrivé ?

— Personne n'en sait rien. Il paraît qu'il a dîné en ville et que nul ne l'a revu ensuite.

— Lina ?

— Vous parlez de Mme Nahour ?... Sa femme de chambre prétend qu'elle a dîné dehors, elle aussi, et qu'elle n'est pas rentrée.

— Elle n'est pas ici ?

— Son lit n'est pas défait et elle a emporté des bagages...

Pierre Nahour, lui, ne paraissait pas surpris.

— Ouéni ?

— Il serait allé dans un cercle de jeu du boulevard Saint-Michel et il aurait noté les coups jusqu'après une heure du matin. Lorsqu'il est rentré, il n'a pas cherché à savoir si son patron était ou non dans la maison et il est monté se coucher. Il n'a rien entendu...

Ils étaient assis face à face et, machinalement, le banquier avait tiré un cigare de sa poche, qu'il hésitait à allumer, peut-être par une sorte de respect pour le mort, bien que celui-ci ne fût plus là.

— Je suis obligé de vous poser quelques questions, monsieur Nahour, et je vous prie d'excuser mon indiscrétion. Vous étiez en bons termes avec votre frère ?

— En très bons termes, bien que nous ne nous voyions pas souvent.

— Pourquoi ?

— Parce que j'habite Genève et que, lorsque je me déplace, c'est le plus souvent pour me rendre au Liban... Quant à mon frère, il n'avait aucune raison de venir à Genève... Ce n'était pas un de ses centres d'activité...

— Ouéni m'a déclaré que Félix Nahour n'exerçait aucune profession...

— C'est à la fois vrai et faux... Je crois, monsieur Maigret, que, sans attendre vos questions, je ferais mieux de vous donner quelques renseignements qui vous permettront de comprendre... Mon père était et est encore banquier à Beyrouth... Au début, son établissement était très modeste, destiné surtout à financer les importations et les exportations, car c'est par Beyrouth que passent presque tous les produits à destination du Proche-Orient... Il existe à Beyrouth, proportionnellement à la population, plus de banques que partout ailleurs...

Il se décidait enfin à allumer son cigare. Ses mains étaient aussi soignées que celles de son frère et lui aussi portait une alliance.

— Nous sommes des chrétiens maronites, ce qui vous explique nos prénoms... L'affaire de mon père s'est développée avec les années et il dirige maintenant une des plus importantes banques privées du Liban...

« J'ai fait mes études à la Falcuté de Droit de Paris, puis à l'Institut de Droit comparé... »

— Avant l'arrivée de votre frère ?

— Il a cinq ans de moins que moi... J'avais donc de l'avance sur lui... Quand il est arrivé, j'étais près de la fin de mes études...

— Vous vous êtes fixé tout de suite à Genève ?

— J'ai d'abord travaillé avec mon père, puis nous avons décidé d'ouvrir une filiale en Suisse, le Comptoir Libanais, que je dirige... C'est une affaire assez modeste dont les bureaux, où ne travaillent que cinq employés, sont situés à un second étage de l'avenue du Rhône...

Maintenant qu'il avait devant lui un homme qui parlait avec une netteté tout au moins apparente, Maigret s'efforçait de mettre chaque personnage à sa place.

— Vous avez d'autres frères ?

— Seulement une sœur, dont le mari tient un comptoir du même genre que le mien à Istanbul...

— De sorte que votre père, votre beau-frère et vous contrôlez une bonne partie du commerce du Liban ?

— Mettons un quart ou, plus modestement, un cinquième...

— Et votre frère Félix ne participait pas à cette activité de la famille ?

— Il était le plus jeune... Il a commencé son Droit, lui aussi, mais sans ardeur, et il a surtout fréquenté l'arrière-salle des brasseries du quartier des Écoles... Il avait découvert le poker, auquel il s'est révélé de première force, et il passait des nuits entières à y jouer...

— C'est alors qu'il a rencontré Ouéni ?

— Je ne prétends pas qu'Ouéni, qui n'est pas maronite, mais musulman, ait été son mauvais génie, mais je ne suis pas loin de le penser... Ouéni était très pauvre, comme la plupart des gens de la montagne... Il devait travailler pour payer ses études...

— Si je comprends bien, d'après certaines découvertes que j'ai faites dans ce bureau, votre frère est devenu un joueur professionnel...

— Pour autant qu'on puisse parler d'une profession. Nous avons appris un beau jour qu'il avait abandonné ses études de Droit pour suivre, à la Sorbonne, les cours de sciences mathématiques... Pendant plusieurs années, mon père et lui ont été brouillés...

— Et vous ?

— Je le voyais de temps en temps... Au début, j'ai dû lui avancer des fonds...

— Qu'il vous a remboursés ?

— Intégralement. Ne croyez pas, d'après ce que je viens de dire, que mon frère était un raté. Les premiers mois, les deux ou trois premières années ont été difficiles, mais il n'a pas tardé à gagner de grosses sommes d'argent et je suis persuadé qu'il était devenu plus riche que moi....

— Votre père et lui se sont réconciliés ?

— Assez rapidement... Nous, maronites, avons fort le sens de la famille...

— Je suppose que votre frère jouait surtout dans les casinos ?

— A Deauville, à Cannes, à Évian, l'hiver à Enghien. Pendant un an ou deux, avant Castro, il a été conseiller technique, et, je pense, associés, au casino de La Havane... Il ne jouait pas au petit bonheur, mais mettait à profit ses études de mathématiques...

— Vous êtes marié, monsieur Nahour ?

— Marié et père de quatre enfants, dont un de vingt-deux ans qui étudie à Harvard.

— Quand votre frère s'est-il marié à son tour ?

— Attendez... C'était l'année de... Il y a sept ans...

— Vous connaissez sa femme ?

— Naturellement, j'ai fait la connaissance de Lina...

— Vous l'aviez rencontrée avant son mariage ?

— Non... Nous avions tous l'impression

que mon frère était un célibataire endurci...

— Comment avez-vous appris son mariage ?

— Par une lettre...

— Vous savez où il a eu lieu ?

— A Trouville, où Félix avait loué une villa...

Le visage de Pierre Nahour s'était quelque peu assombri.

— Quel genre de femme est-ce ?

— Je ne sais que vous répondre.

— Pourquoi ?

— Parce que je ne l'ai vue que deux fois.

— Votre frère est allé vous la présenter à Genève ?

— Non. Je suis venu à Paris pour affaires et je les ai rencontrés tous les deux au Ritz où ils vivaient à l'époque.

— Votre frère n'est jamais allé au Liban avec elle ?

— Non. Quelques mois plus tard, mon père les a rencontrés à Évian, où il était allé faire une cure.

— Votre père approuvait ce mariage ?

— Il m'est difficile de répondre pour mon père.

— Et vous ?

— Cela ne me regardait pas.

On retombait dans l'imprécision, dans les réponses vagues ou équivoques.

— Savez-vous où votre frère a rencontré celle qui devait devenir sa femme ?

— Il ne me l'a jamais dit, mais cela m'a été facile de le deviner. L'année précédente, le concours pour l'élection de Miss Europe avait lieu à Deauville... Félix s'y trouvait, car il y avait de très grosses parties au casino et la banque perdait presque chaque soir... Le titre a été enlevé par une Hollandaise de dix-neuf ans, Lina Wiemers...

— Que votre frère a épousée...

— Un an plus tard environ... Auparavant, ils ont beaucoup voyagé tous les deux, plus exactement tous les trois, car Félix ne se déplaçait jamais sans Fouad Ouéni...

La sonnerie du téléphone les interrompit. Maigret décrocha. Lapointe était à l'autre bout du fil.

— Je vous appelle de chez le docteur Pardon, patron... Il a tout de suite reconnu la photographie... Il s'agit bien de la blessée qu'il a soignée la nuit dernière...

— Veux-tu revenir ici ? Passe d'abord par le Quai et demande à Janvier, s'il est là, sinon à Torrence ou à un autre, de me rejoindre avenue du Parc-Montsouris avec une voiture...

Il raccrocha.

— Excusez-moi, monsieur Nahour... Il me reste une question plus indiscrète à vous poser et, tout à l'heure, vous comprendrez pourquoi... Savez-vous si votre frère et sa femme s'entendaient bien ?

Du coup, le visage de son interlocuteur parut se fermer.

— Je suis désolé de ne rien pouvoir vous dire... Je ne me suis jamais occupé de la vie conjugale de mon frère...

— Sa chambre était au rez-de-chaussée et celle de sa femme au premier étage... Pour autant que je puisse me baser sur des dépositions plus que réticentes, les repas n'étaient pas pris en commun et le couple sortait rarement ensemble...

Pierre Nahour ne broncha pas mais ses pommettes devenaient plus roses.

— Le personnel, dans cette maison, est réduit à une femme de ménage, à Fouad Ouéni, dont le rôle est assez mal déterminé, et à une femme de chambre hollandaise qui ne parle que la langue de son pays et l'anglais...

— Mon frère, outre l'arabe, parlait le français, l'anglais, l'espagnol et l'italien, sans compter un peu d'allemand...

— C'était Ouéni qui préparait le petit déjeuner de son maître et Nelly Velthuis celui de sa maîtresse. Il en était de même pour le déjeuner, quand ils déjeunaient ici, et les époux dînaient le plus souvent en ville, mais séparément...

— Je ne suis pas au courant...

— Où sont vos enfants, monsieur Nahour ?

— Mais... à Genève, bien entendu, plus exactement à huit kilomètres de Genève, où nous avons notre villa...

— Les enfants de votre frère vivent sur la Côte d'Azur avec une gouvernante...

— Félix allait souvent les voir et il passait une partie de l'année à Cannes...

— Et sa femme ?

— Je suppose qu'elle allait les voir aussi...

— Vous n'avez jamais entendu dire qu'elle avait un ou des amants ?

— Je ne fréquente pas le même milieu...

— Je vais essayer, monsieur Nahour, de reconstituer pour vous ce qui s'est passé cette nuit, ou tout au moins ce que nous en savons... Avant une heure du matin, votre frère a été atteint à la gorge par une balle tirée avec une arme automatique d'assez fort calibre, dont nous connaîtrons le type et probablement la marque dès que l'expert armurier nous enverra son rapport... Il se tenait à ce moment-là debout derrière son bureau...

» Or, votre frère, comme son agresseur, avait une arme à la main, un pistolet 6.35, à crosse de nacre, qui se trouvait d'habitude dans le tiroir de droite de son bureau, tiroir que nous avons trouvé à moitié ouvert...

» Combien de personnes se trouvaient dans la pièce, je l'ignore, mais nous avons la certitude que votre belle-sœur était présente... »

— Comment pouvez-vous le savoir ?

— Parce qu'elle a été blessée par une balle tirée avec le 6.35. Avez-vous jamais entendu parler d'un certain docteur Pardon, qui habite boulevard Voltaire ?

— C'est un quartier qui ne m'est pas familier et je n'ai jamais entendu ce nom-là.

— Votre belle-sœur, elle, a dû l'entendre, ou alors l'homme qui l'accompagnait. .

— Vous voulez dire qu'il y avait un autre homme dans ce studio ?

— Je ne l'affirme pas... Mme Nahour, avant ou après la scène qui s'est déroulée, a entassé en hâte du linge et des vêtements dans une ou plusieurs valises... Un peu plus tard, vêtue d'un manteau de loutre de mer, elle et son compagnon descendaient d'une Alfa-Roméo rouge devant le 76 *bis*, boulevard Voltaire, et un peu plus tard les deux personnages sonnaient à la porte du docteur...

— Qui était l'homme ?

— Tout ce que nous savons, c'est qu'il s'agit d'un citoyen colombien âgé de vingt-cinq ou vingt-six ans...

Pierre Nahour ne bronchait pas, n'avait même pas tressailli.

— Vous n'avez aucune idée de son identité ? questionna Maigret en le regardant dans les yeux.

— Aucune, laissa-t-il tomber en retirant le cigare de sa bouche.

— Votre belle-sœur avait au dos une blessure qui ne met pas ses jours en danger. Le docteur Pardon l'a soignée. Le Colombien a raconté une histoire rocambolesque selon laquelle sa compagne qu'il ne connaissait pas, avait été attaquée, à quelques pas de lui, par une ou des personnes en auto qui auraient tiré par la portière...

— Où est-elle ?

— Selon toute vraisemblance, à Amsterdam... Pendant que le médecin se lavait les mains et retirait sa blouse ensanglantée, le couple a quitté le bureau sans bruit... On le retrouve plus tard à Orly, où la voiture rouge se trouve toujours, et deux passagers, une Hollandaise et un Colombien, répondant au signalement de nos personnages, se sont embarqués dans l'avion pour Amsterdam...

Maigret se levait et allait vider sa pipe dans un cendrier avant d'en bourrer une autre qu'il tira de sa poche.

— J'ai joué cartes sur table, monsieur Nahour... J'attends de vous la même franchise... Je vais regagner mon bureau du quai des Orfèvres... Un de mes inspecteurs restera dans la maison et veillera à ce que ni la femme de ménage, ni Ouéni, ni Nelly ne la quittent sans une permission...

— Et moi ?

— J'aimerais que vous restiez ici aussi car, dès que l'autopsie sera terminée, je vous demanderai de venir reconnaître le corps, ce qui n'est qu'une formalité, mais une formalité indispensable...

Il alla se camper devant la baie vitrée. La neige tombait toujours, moins serrée, mais le ciel ne s'en éclaircissait pas pour autant. Deux petites voitures noires de la P.J. se rangeaient le long du trottoir et Lapointe descendait de l'une, Janvier de l'autre. Tous les deux traversaient le jardin et on entendait la porte s'ouvrir sur le couloir.

— Peut-être, monsieur Nahour, quand nous nous reverrons, aurez-vous quelques précisions à me donner sur les rapports entre votre belle-sœur et votre frère, et, éventuellement, entre elle et d'autres hommes...

Pierre Nahour ne répondit pas et, silencieux, le laissa partir.

— Tu restes ici, Lapointe... Je file au Quai avec Janvier...

Et Maigret s'entoura le cou de sa grosse écharpe, endossa son pardessus.

*
* *

Il était midi moins dix quand Maigret, bien calé dans son fauteuil, eut enfin la communication avec Amsterdam.

— Keulemans ?... Allô !... Ici, Maigret, à Paris...

Le chef de la Brigade Criminelle d'Amsterdam, Jef Keulemans était encore jeune, quarante ans à peine, et, à cause de sa longue silhouette d'étudiant, de son visage rose et de ses cheveux blonds, il en paraissait dix de moins.

Lorsqu'il était venu accomplir un stage à Paris, c'est Maigret qui lui avait montré les rouages de la P.J. et les deux hommes étaient devenus bons amis, se revoyant de loin en loin à l'occasion de congrès internationaux.

— Très bien Keulemans, merci... Ma femme aussi, oui... Comment ?... Le port est couvert de glace ?... Consolez-vous en pensant que Paris est transformé en patinoire et qu'il se remet à neiger...

» ... Allô !... Écoutez-moi, j'ai un service à vous demander... Je m'excuse de ne vous appeler que pour ça... C'est à titre officieux, bien entendu... D'abord, je n'ai pas le temps de remplir les paperasses nécessaires pour passer par la voie officielle... Ensuite, je n'ai pas suffisamment d'éléments en main...

» La nuit dernière, deux personnes qui m'intéressent ont débarqué d'un avion de la K.L.M. qui a quitté Orly aux alentours de quatre heures du matin... Un homme et une femme... Il est possible qu'ils aient feint de ne pas être ensemble... L'homme, porteur d'un passeport colombien, est âgé d'environ vingt-cinq ans... La femme, d'origine hollandaise, s'appelle Evelina Nahour, née Wiemers, et fait parfois de courts séjours à Amsterdam, où elle a passé sa jeunesse...

» Tous les deux, je suppose, ont dû remplir une fiche de débarquement qu'il vous est possible de retrouver à l'aéroport...

» Mme Nahour n'a pas de domicile en Hollande, mais elle a une amie à Amsterdam, Anna Keegel, qui inscrit au dos de ses lettres une adresse de Lomanstraat... Vous connaissez ?...

» Bon !... Non, il ne s'agit pas de les arrêter... Peut-être, si vous retrouvez la femme Nahour, pourriez-vous lui annoncer simplement que son mari est mort et qu'on l'attend pour l'ouverture du testament... Ajoutez que son beau-frère est arrivé à Paris... Ne parlez pas de la police...

» Nahour a été assassiné, oui... Une balle dans la gorge... Comment ?... Il est probable qu'elle le sait, mais il est possible aussi qu'elle l'ignore car, dans cette affaire, je m'attends à toutes les surprises.

» J'aimerais qu'on ne l'effarouche pas... Si elle est encore avec son compagnon, qu'on n'inquiète pas celui-ci... S'ils se sont séparés, je suppose qu'elle lui téléphonera pour le mettre au courant de votre visite...

» Vous êtes gentil, Keulemans... Je pars déjeuner à la maison et je compte sur un coup de téléphone cet après-midi... Merci... »

Il profita de ce qu'il avait la ligne directe pour composer son propre numéro.

— Qu'as-tu à déjeuner? questionna-t-il dès qu'il eut sa femme à l'appareil.

— J'ai préparé une choucroute, mais j'étais presque sûre de devoir la réchauffer ce soir, sinon demain!

— Je serai à la maison dans une demi-heure.

Il choisit une des pipes rangées sur son bureau et il la bourra tout en longeant lentement le couloir. Presque au fond de celui-ci, il frappa à la porte du commissaire Lardois, qui dirigeait la Police des Jeux. Lardois était entré à peu près en même temps que lui à la P. J. et les deux hommes se tutoyaient depuis leurs débuts.

— Bonjour, Raoul...

— Que t'arrive-t-il pour que tu te souviennes de mon existence?... Nos bureaux sont à vingt mètres l'un de l'autre et je n'ai pas ta visite une fois l'an...

— Je pourrais t'en dire autant...

Ils ne s'en voyaient pas moins, sur un pied plus officiel, il est vrai, chaque matin, pour le rapport, chez le directeur de la P.J.

— Mes questions vont te paraître naïves, mais je t'avoue que je n'y connais rien aux questions de jeux... D'abord, existe-t-il réellement des joueurs professionnels?

— Les directeurs de casinos répondent à cette définition puisqu'ils jouent, en définitive, contre la clientèle... Lorsqu'ils tiennent la banque à deux tableaux, il leur arrive de se mettre de compte à demi avec un joueur spécialisé, parfois avec un syndicat... Cela en ce qui concerne les professionnels qui ont pignon sur rue...

» D'autres gens, pas beaucoup, vivent exclusivement du jeu, pour un temps plus ou moins long, soit qu'ils aient une chance exceptionnelle, soit qu'ils possèdent de gros moyens financiers et qu'ils soient particulièrement calés... »

— On peut jouer scientifiquement ?

— Il paraît. Certains joueurs, peu nombreux, sont capables, entre la donne et le moment de demander ou de ne pas demander une carte, de se livrer à des calculs compliqués de probabilités...

— Tu as entendu parler d'un certain Félix Nahour ?

— Tous les croupiers de France et d'ailleurs le connaissent... Il appartient à la seconde catégorie, bien que, pendant un temps, à La Havane, il ait tenu la banque-à-tout-va en association avec un syndicat américain...

— Honnête ?

— S'il ne l'était pas, il serait fiché depuis longtemps et les salles de jeu lui seraient interdites... Il n'y a que dans les petits casinos qu'on trouve parfois des tricheurs minables qui ne tardent d'ailleurs pas à se faire pincer...

— Que sais-tu de Nahour ?

— D'abord, qu'il a une très belle femme, une Miss je ne sais quoi, que j'ai rencontrée plusieurs fois à Cannes et à Biarritz... Ensuite qu'à certain moment il a travaillé avec un groupe du Proche-Orient...

— Un syndicat de joueurs ?

— Si tu veux... Mettons de joueurs qui ne veulent pas ou qui ne peuvent pas jouer eux-mêmes... Un professionnel qui s'attaque à la banque, à Cannes ou à Deauville, par exemple, doit disposer d'un certain nombre de millions qui lui permettent de tenir le coup jusqu'à ce que la chance lui soit favorable... Autrement dit, il doit être d'égal à égal avec le casino dont les réserves sont pratiquement inépuisables...

» D'où la constitution de syndicats, qui fonctionnent comme des sociétés financières, à la différence qu'ils travaillent plus discrètement...

» Pendant longtemps, un syndicat sud-américain a envoyé chaque année un opérateur à Deauville et la banque s'est trouvée plusieurs fois en mauvaise posture...»

— Nahour a toujours un syndicat derrière lui?

— Il passe maintenant pour voler de ses propres ailes, mais c'est impossible à contrôler...

— Encore un renseignement... Tu connais le cercle Saint-Michel?

Lardois hésita avant de répondre.

— Oui... J'y ai effectué deux ou trois descentes...

— Comment se fait-il qu'il fonctionne encore?

— Tu ne vas pas me dire que Nahour y joue?

— Non, mais son secrétaire-factotum y passe une partie de la nuit deux ou trois fois par semaines...

— C'est sur la demande des Renseignements Généraux que je ferme les yeux... Le cercle est surtout fréquenté par des étudiants étrangers, surtout par les nombreux orientaux qui vivent dans le quartier... C'est un bon endroit pour les tenir à l'œil et notre collègue ne s'en fait pas faute... Il y a eu du grabuge ?

— Non.

— Rien d'autre ?

— Non.

— Nahour est mêlé à une histoire ?

— Il a été assassiné cette nuit.

— Dans un cercle ?

— Chez lui.

— Tu me raconteras ?

— Quand je saurai moi-même.

Vingt minutes plus tard, Maigret, attablé en face de sa femme, dégustait une savoureuse choucroute à l'alsacienne comme on n'en trouve que dans deux restaurants de Paris. Le petit-salé était particulièrement « goûteux » et le commissaire avait ouvert des bouteilles de bière de Strasbourg.

La neige tombait toujours de l'autre côté de la fenêtre et il faisait bon être au chaud, sans avoir à s'aventurer sur les trottoirs glissants comme le port d'Amsterdam.

— Fatigué ?

— Pas trop.

Il ajouta après un silence, avec un regard un peu narquois à sa femme :

— Au fond, un policier ne devrait pas être marié.

— Pour ne pas devoir rentrer chez lui et manger de la choucroute ? répliqua-t-elle du tac au tac.

— Non, mais parce qu'il aurait besoin de vivre dans tous les milieux, de connaître les casinos, par exemple, la banque internationale, les Libanais maronites et les musulmans, les bistrots étrangers du Quartier Latin et de Saint-Germain ainsi que les jeunes Colombiens. Et je ne parle pas de la langue néerlandaise, ni des concours de beauté...

— Tu t'y retrouves quand même ?

Elle souriait, car il avait peu à peu perdu son air soucieux.

— La suite de l'enquête le dira...

Quand il se leva, il se sentait lourd, mais c'était d'avoir fait trop honneur au déjeuner et à la bière. Quel bonheur, cela aurait été, après une nuit pour ainsi dire sans sommeil, de s'étendre sur le lit et de faire une petite sieste tout en ayant vaguement conscience des allées et venues de Mme Maigret dans l'appartement !

— Tu repars déjà ?

— Keulemans doit me rappeler d'Amsterdam...

Elle le connaissait aussi, car il avait dîné chez eux à plusieurs reprises. Cette fois, il appela un taxi qu'il alla attendre, selon son habitude, au bord du trottoir. Janvier était rentré au bureau.

— Pas de coups de téléphone pour moi ?

— Seulement Lapointe. Comme il n'y avait à peu près rien à manger dans le réfrigérateur, le frère Nahour lui a demandé l'autorisation de faire venir le déjeuner de chez un traiteur des environs. Lapointe n'a vu aucune raison de refuser et, pour l'en récompenser, on l'a invité à partager le repas. Les deux inspecteurs du quartier ont regagné le commissariat. L'agent de garde à la porte a été changé... J'oubliais!... La jeune femme de chambre n'a pas voulu toucher au repas et s'est préparé un grand pot de chocolat dans lequel elle a trempé des tartines...

— Nahour et Ouéni ont déjeuné à la même table ?

— Lapointe ne me l'a pas précisé...

— Tu vas te rendre boulevard Saint-Michel... Tu trouveras un certain bar des Tilleuls... Ils ont une salle de jeux, camouflée en cercle privé, au premier étage... Le cercle est fermé à cette heure, mais on doit passer par le bar pour y monter...

« Dis au patron que tu viens de la part de Lardois et qu'on ne cherche pas à lui faire des ennuis... Essaie seulement de savoir si Fouad Ouéni est allé au cercle la nuit dernière, et, si oui, à quelle heure il est arrivé et à quelle heure il en est parti...

« Au retour, passe par un restaurant à l'enseigne du *Petit Beyrouth*, rue des Bernardins. Le patron est un certain Boutros. Félix Nahour était un de ses clients les plus assidus. A-t-il dîné hier soir dans ce restaurant? Était-il seul ? Depuis combien de temps n'y est-il pas allé avec sa femme ? Y a-t-il eu une époque où le couple était inséparable ? Etc. Tu verras toi-même ce que tu peux en tirer...

Maigret n'avait pas encore touché au courrier du matin qui s'empilait sur son sous-main, à côté des pipes. Il tendit le bras pour saisir une lettre, bâilla, décida de remettre cette besogne à plus tard et, glissant un peu dans son fauteuil, il baissa la tête et ferma les yeux.

Quand la sonnerie du téléphone le fit sursauter, personne ne lui secouait l'épaule et il n'eut pas à se débattre, mais la pendule marquait trois heures et demie.

— Le commissaire Maigret ?... Allô... C'est le commissaire Maigret lui-même...

La standardiste avait un accent savoureux.

— Ici, Amsterdam... Ne quittez pas... Je vous passe le commissaire Keulemans...

Deux ou trois déclics, puis la voix toujours joyeuse du long policier hollandais.

— Maigret ?... Ici, Keulemans... Tâchez de me donner toujours des commissions aussi faciles... Naturellement, j'ai trouvé les fiches de débarquement à l'aéroport... Je n'ai même pas eu à me déranger... On m'a dicté leur contenu par téléphone... Pour la femme, il s'agit bien d'Evelina Nahour, née Wiemers, domiciliée à Paris, avenue du Parc-Montsouris... Elle est plus jeune que vous le pensiez... Elle a vingt-sept ans... Elle est bien née à Amsterdam, mais elle a quitté la ville très jeune avec ses parents, quand son père est devenu sous-directeur d'une fromagerie à Leeuwarden, en Friesland...

— Vous l'avez vue ?

— Elle est chez son amie, Anna Keegel. Les deux femmes ont vécu plusieurs années ensemble quand, à dix-sept ans, Lina a obtenu de ses parents la permission de venir travailler à Amsterdam...

» Lina a été standardiste dans une agence

de tourisme, puis réceptionniste chez un médecin connu, enfin mannequin dans une maison de couture... Anna Keegel, elle, a toujours gardé le même emploi : mécanographe dans une grande brasserie dont je vous ai montré les entrepôts lorsque nous sommes passés en bateau sur l'Amstel... »

— Quelle a été la réaction de Lina Nahour quand vous lui avez annoncé la mort de son mari ?

— Que je vous dise d'abord qu'elle est couchée et que son médecin venait de la quitter...

— Elle vous a parlé de sa blessure ?

— Non. Elle m'a dit qu'elle était très fatiguée.

— Pas de trace de son compagnon ?

— Comme l'appartement ne se compose que d'une grande chambre, d'une cuisine et d'une salle de bains, je l'aurais vu... Elle a demandé, après un silence :

« — De quoi est-il mort ?

« Je lui ai répondu que je l'ignorais, mais qu'on avait besoin d'elle pour l'ouverture du testament. »

— Qu'a-t-elle dit ?

— Qu'elle espérait être assez bien demain matin pour prendre l'avion, bien que le médecin lui ait prescrit un long repos... A tout hasard, j'ai laissé un de mes hommes dans les parages... Officieusement, n'ayez pas peur...

— Le Colombien ?

— Vicente Alvaredo, vingt-six ans, né à Bogota, étudiant, domicilié à Paris rue Notre-Dame-des-Champs...

— Vous l'avez retrouvé ?

— Facilement. Très officieusement aussi, car j'avais fait surveiller la ligne de l'appartement de Lomanstraat... Lina Nahour a décroché le téléphone alors que je n'avais pas quitté la rue... Elle a demandé l'hôtel Rembrandt et elle a été mise en communication avec Alvaredo... J'ai devant moi la sténographie de leur conversation... Vous voulez que je vous la lise ?

Maigret regrettait seulement de ne pouvoir tenir l'écouteur tout en bourrant une pipe et il regardait avec envie celles qui étaient si bien rangées et si tentantes sur son bureau.

— Je commence :

« — Vicente?

« — Oui. Le docteur est venu ?

« — Il y a une demi-heure. Il a cru ce que je lui ai dit et il m'a fait des points de suture après avoir nettoyé la plaie. Il doit revenir demain matin. J'ai eu une autre visite, quelqu'un de la police, un homme très grand et très gentil qui m'a annoncé que mon mari était mort... »

Un silence.

— Vous remarquerez, Maigret, qu'à ce moment le jeune homme n'a posé aucune question.

« — Le notaire a besoin de moi pour l'ouverture du testament. J'ai promis de prendre l'avion demain matin.

« — Tu crois que tu pourras ?

« — Je n'ai que 38° de température... Depuis que, le docteur m'a donné des comprimés de je ne sais quoi je ne souffre presque plus.

« — Je peux aller te voir cet après-midi ?
« — Pas trop tôt, car je voudrais dormir. Mon amie a téléphoné à son bureau qu'elle a la grippe... Il paraît qu'un tiers du personnel est au lit... Elle me soigne bien...
« — Je serai là-bas vers cinq heures... »
Un nouveau silence.
— C'est tout, Maigret. Ils ont commencé la conversation en anglais et l'ont continuée en français. Est-ce que je peux encore faire quelque chose ?
— J'aimerais savoir si elle prend l'avion et à quelle heure, dans ce cas, elle arrivera à Orly... Bien entendu, j'aimerais avoir aussi des nouvelles d'Alvaredo...
— *Officieusement!*
Et Keulemans termina joyeusement l'entretien en lançant, à la façon des collaborateurs de Maigret :
— Au revoir, *patron !*

CHAPITRE

4

CE FUT UN APRÈS-midi, paresseux, dans le bureau surchauffé et les six ou sept pipes rangées sur le bureau y passèrent. Dans presque toutes les enquêtes, il y a, à un moment donné, ce que Maigret appelait volontiers le trou, un moment où l'on possède un certain nombre d'éléments qu'il est indispensable de vérifier et qu'il est encore impossible de mettre en place.

C'est une période à la fois paisible et irritante, car on est tenté d'échafauder des hypothèses, de tirer des conclusions qui risquent, par la suite, de se révéler fausses.

Si Maigret avait suivi son penchant, s'il ne s'était pas répété que le rôle d'un commissaire-divisionnaire n'est pas de courir en tout sens comme un chien de chasse, il aurait tout vu par lui-même, ainsi qu'il le faisait au temps où il n'était encore qu'inspecteur.

Par exemple, il enviait Keulemans d'avoir vu Lina Nahour et son amie au physique ingrat dans l'appartement d'Amsterdam où les deux jeunes filles avaient jadis vécu ensemble.

En même temps, il aurait voulu passer la journée entière, à la place de Lapointe, dans la maison de l'avenue du Parc-Montsouris, à fouiner, à renifler dans les coins, à ouvrir des tiroirs au petit bonheur, à observer Fouad Ouéni, Pierre Nahour, la déroutante Nelly qui n'était peut-être pas aussi infantile qu'elle cherchait à le faire croire.

Il ne suivait aucun plan préconçu. Il allait devant lui, au hasard, en s'efforçant surtout de ne pas se forger d'opinion.

Il sourit quand on frappa à sa porte et qu'il vit enter la bonne des Pardon.

— Bonjour, monsieur Maigret...

Car, pour elle, il n'était pas le commissaire de la P. J., mais l'invité de tous les mois.

— Je vous apporte le rapport. Monsieur m'a bien recommandé de vous le mettre en mains propres...

Il était tapé à deux doigts sur la vieille machine du médecin et il y avait des ratures, des lettres sautées, des mots collés ensemble.

Est-ce que Pardon avait commencé cette rédaction la nuit précédente, après le départ de Maigret ? Ou bien n'en avait-il écrit que quelques lignes à la fois entre deux clients ? Le commissaire ne fit que le parcourir, souriant davantage en constatant la méticulosité de son ami qui avait fait un visible effort pour n'omettre aucun détail, comme s'il s'agissait d'un diagnostic médical.

Il ne devait pas tarder à froncer les sourcils, car on venait de lui annoncer que plusieurs journalistes l'attendaient dans le couloir. Il hésita, finit par grommeler :

— Faites les entrer...

Ils étaient cinq, plus deux photographes, et parmi les reporters se trouvait le petit Maquille, qui avait à peine vingt ans mais qui n'en était pas moins le plus acharné de la presse parisienne, en dépit de son visage de chérubin.

— Qu'est-ce que vous pouvez nous dire de l'affaire Nahour ?

Tiens ! C'était déjà l'affaire Nahour, un titre qu'on allait sans doute retrouver dans tous les journaux.

— Peu de chose, mes enfants, car elle ne fait que commencer.

— Pensez-vous que Nahour ait pu se suicider ?

— Certainement pas. Nous avons la preuve du contraire, car la balle, qui s'est logée dans la boîte crânienne après avoir traversé la gorge, n'est pas du même calibre que l'arme retrouvée en dessous du corps.

— Il tenait donc cette arme à la main quand il a été tué ?

— C'est probable. Comme je prévois les questions suivantes, je vous déclare tout de suite que j'ignore qui se trouvait à ce moment-là dans la pièce.

— Et dans la maison ? lança le petit Maquille.

— Une jeune femme de chambre hollandaise, Nelly Velthuis, dormait au premier étage, dans une chambre assez éloignée du studio. Elle passe pour avoir le sommeil lourd et elle affirme n'avoir rien entendu.

— N'y avait-il pas aussi un secrétaire ?

Ils avaient dû interroger les voisins, voire les fournisseurs du quartier.

— Jusqu'à preuve du contraire, le secrétaire, Fouad Ouéni, était en ville et n'est rentré qu'après une heure et demie du matin. Il n'a pas pu pénétrer dans le studio et est monté tout de suite se coucher.

— Et Mme Nahour ?

— Absente.

— Avant ou après le drame ? questionnait à nouveau l'obstiné Maquille, qui choisissait bien ses mots.

— La question n'est pas résolue.

— Il n'y a en pas moins une question ?

— Il y a toujours des questions.

— Par exemple la possibilité d'un crime politique ?

— A notre connaissance, Félix Nahour ne s'occupait pas de politique.

— Mais son frère, à Genève ?

Ils étaient déjà plus loin que le commissaire ne l'aurait pensé.

— Sa banque ne servait-elle pas de couverture à d'autres activités ?

— Vous allez trop vite pour moi.

Maigret ne s'en promettait pas moins de s'assurer que Pierre Nahour était bien arrivé à Paris par l'avion du matin. Jusqu'ici, rien n'établissait qu'il n'y était pas la veille.

— L'arme retrouvée sous le corps de la victime a-t-elle servi ?

Et Maigret répondit sans se compromettre :

— Elle est entre les mains des experts et je n'ai pas encore reçu leur rapport. Maintenant, vous en savez à peu près autant que moi et je vous demande de me laisser travailler. Je ne manquerai pas de vous convoquer quand j'aurai du nouveau.

Il n'ignorait pas que Maquille allait laisser un de ses camarades dans le couloir pour surveiller son bureau et noter les visites qu'il recevrait.

— Est-ce que... ?

— Non, mes enfants ! J'ai beaucoup à faire et il m'est impossible de vous consacrer plus de temps.

Cela ne s'était pas trop mal passé. Il soupira, rêva d'un bon demi bien frais, mais n'osa pas en faire monter de la brasserie Dauphine.

— Allô !... Lapointe ?... Que se passe-t-il là-bas ?

— La maison est toujours aussi lugubre. La femme de ménage est furieuse qu'on l'empêche de procéder au nettoyage. Nelly, couchée sur son lit, lit un roman policier anglais. Quant à Pierre Nahour, il ne quitte pas le bureau où il dépouille la correspondance et les documents qui se trouvent dans les tiroirs.

— Il n'a pas donné de coups de téléphone ?

— Un seul, à Beyrouth, pour mettre son père au courant. Celui-ci essaie d'obtenir une place dans le prochain avion.

— Passe-moi Pierre Nahour, veux-tu ?

— Il est à côté de moi.

Puis ce fut la voix du banquier genevois.

— Je vous écoute...

— Savez-vous si votre frère avait un notaire à Paris ?

— Félix m'en a parlé lors de notre dernière rencontre, il y a trois ans, me disant que, s'il venait à mourir, on trouverait son testament chez Me Leroy-Beaudieu, boulevard Saint-Germain. Par hasard, je connais très bien Leroy-Beaudieu, car j'ai fait une partie de mon Droit avec lui, mais ensuite nous avons perdu contact.

— Votre frère vous a-t-il révélé le contenu de ce testament ?

— Non. Il m'a seulement laissé entendre, avec une certaine amertume, que, malgré les critiques de notre père, il était resté un Nahour.

— Vous n'avez rien trouvé dans les papiers que vous êtes occupé à examiner ?

— Des factures, surtout, qui indiquent que ma belle-sœur ne s'occupait pas des fournisseurs, pas même du boucher et de l'épicier, laissant ce soin à mon frère. Des rapports presque quotidiens de la nurse donnant des nouvelles des enfants, ce qui prouve que mon frère était très attaché à ceux-ci. Des invitations, des lettres de directeurs de casinos et de croupiers...

— Écoutez, monsieur Nahour. Il n'est plus nécessaire que vous restiez dans la maison. Vous pouvez circuler dans Paris, sans toutefois quitter la ville. Si vous prenez une chambre à l'hôtel...

— Je n'en ai pas l'intention. Je coucherai dans la chambre de mon frère. Il est possible que je sorte, ne fût-ce que pour dîner.

— Voulez-vous me passer à nouveau mon inspecteur ?... Allô !... Lapointe ?... Je viens de donner à Pierre Nahour l'autorisation d'aller et venir comme bon lui semble. Il n'en est pas de même d'Ouéni et je préfère que la femme de chambre, elle non plus, ne quitte pas la maison...

» La femme de ménage peut aller faire son marché et, ensuite, si elle le désire, rentrer chez elle.

» Vers la fin de l'après-midi, je t'enverrai quelqu'un pour te relayer. A tout à l'heure... »

Il pénétra dans le bureau des inspecteurs, où ils étaient une quinzaine à travailler, les uns tapant des rapports, d'autres donnant des coups de téléphone.

— Qui, ici, parle plus ou moins couramment l'anglais ?

Ils se regardèrent en silence et Baron leva timidement la main.

— Je vous préviens seulement que j'ai un mauvais accent.

— Entre cinq et six, tu iras relayer Lapointe du Parc-Montsouris et tu passeras là-bas. Il te donnera des instructions.

En rentrant un peu plus tard dans son bureau, Maigret retrouva Janvier, en pardessus, qui apportait dans la pièce un peu de l'air glacé du dehors.

— J'ai vu le patron du bar des Tilleuls, un gros type ensommeillé que je soupçonne d'être plus malin qu'il ne veut le paraître. Il prétend qu'il n'a rien à voir avec le cercle du premier étage, tenu par un certain Pozzi, sinon que les clients doivent passer par le bar...

» Le soir, de huit à onze heures ou minuit, celui-ci est plein, car beaucoup de gens viennent pour la télévision.

» Ils étaient d'autant plus nombreux hier qu'on donnait du catch. Il n'a pas vu Ouéni arriver, mais il l'a vu sortir vers une heure et quart... »

— De sorte qu'Ouéni aurait pu arriver à n'importe quel moment avant une heure et quart et ne rester que quelques minutes au cercle ?

— C'est possible. Si vous le permettez, j'irai ce soir interroger Pozzi, les croupiers et, s'il le faut, les habitués.

Maigret aurait aimé s'y rendre aussi. Il hésita avant d'admettre qu'il ferait mieux de se reposer, après une nuit presque blanche, en prévision du travail qui s'annonçait pour le lendemain.

— Et au restaurant ?

— C'est une toute petite salle, où l'odeur de la cuisine orientale est si forte que la tête m'en tournait. Boutros est un bonhomme bouffi qui écarte en marchant des cuisses trop volumineuses. Apparemment, il ne savait rien de ce qui s'est passé cette nuit car, quand je lui ai parlé de la mort de Nahour, il s'est mis à pleurer.

» — Mon meilleur client!... Mon frère!... s'est-il écrié. Oui, inspecteur, j'aimais cet homme-là comme un frère... Pensez qu'il venait déjà manger chez moi quand il était encore étudiant et que souvent je lui faisais crédit pendant des semaines... Devenu riche, il n'avait pas oublié le pauvre Boutros et, quand il était à Paris, il venait dîner ici presque chaque soir...

» Tenez ! voici sa table, dans le coin, près du comptoir... »

— Il t'a parlé de Mme Nahour ?

— C'est un vieux singe, lui aussi, qui vous surveille du coin de l'œil pendant qu'il fait ses grimaces... Il s'est longuement extasié sur la beauté de Mme Nahour, sur sa douceur, sur sa gentillesse...

» — Et pas fière, inspecteur !... En entrant et en sortant, elle ne manque jamais de me serrer la main... »

— Quand l'a-t-il vue pour la dernière fois ?

— Il ne sait pas... Il reste dans le vague... Au début de son mariage, elle venait plus souvent avec son mari que les derniers temps, oui... C'était un beau couple, très amoureux... Ils ont toujours été très amoureux... Non, il ne s'est rien passé entre eux mais, bien entendu, elle devait s'occuper de la maison et des enfants...

— Il ignore que les enfants vivent dans le Midi ?

— Il feint en tout cas de l'ignorer...

Maigret ne pouvait s'empêcher de sourire. Est-ce que, dans cette affaire, tout le monde ne mentait pas ? Cela avait commencé chez Pardon, la nuit précédente, avec cette histoire incroyable d'un coup de feu tiré d'une voiture et de la vieille femme qui avait désigné la maison du médecin.

— Un instant ! dit le commissaire à Janvier. Il faut que je donne un coup de téléphone. Reste ici...

Il eut à nouveau Lapointe au bout du fil.

— Est-ce que la femme de ménage est partie ?

— Je crois que je l'entends qui se prépare à sortir.

— Passe-la moi, veux-tu ?

Il dut attendre assez longtemps avant qu'une voix de femme prononce sans amabilité :

— Qu'est-ce que vous me voulez encore ?

— Vous poser une question, madame Bodin. Depuis combien de temps habitez-vous dans le XIVe arrondissement ?

— Je ne vois pas ce que cela a à voir...

— Il m'est facile de me renseigner au commissariat, où vous avez dû vous inscrire.

— Trois ans...

— Et où viviez-vous avant ?

— Rue Servan, dans Le XIe

— Vous y avez été malade ?

— Mes maladies ne regardent personne...

— Mais vous vous êtes fait soigner par le docteur Pardon ?

— Un brave homme, celui-là, qui ne pose pas de questions aux gens et qui se contente de les guérir...

Ainsi, un petit mystère qui tracassait le commissaire depuis le récit de Pardon se trouvait éclairci.

— C'est fini ? Je peux aller faire mes courses ?

— Encore un mot... Vous aimiez bien le docteur Pardon... Il est donc probable que vous lui avez envoyé des gens de votre connaissance...

— Peut-être que cela m'est arrivé...

— Essayez de vous souvenir... A qui avez-vous parlé de lui dans la maison où vous travaillez actuellement...

Il y eut un silence assez long et Maigret entendait la respiration de la vieille femme.

— Je n'en sais rien.

— A Mme Nahour ?

— Elle n'a jamais été malade.

— A M. Ouéni ? A la femme de chambre ?

— Puisque je vous dis que je ne me souviens même pas d'en avoir parlé ! Maintenant, si je ne suis même plus libre d'aller faire mon marché, vous n'avez qu'à m'arrêter...

Maigret raccrocha. Sa pipe était éteinte et il chargea Janvier de lui appeler Orly pendant qu'il en bourrait une autre.

— Demande à l'inspecteur si l'avion qui est arrivé un peu après onze heures est un avion d'Air-France ou de la Swissair.

Janvier répétait la question.

— Swissair ? répétait Janvier... Un instant...

— Qu'il te branche sur le bureau qui enregistre les passagers à l'arrivée...

— Allô !... Voulez-vous...

Quelques instants plus tard, Maigret était fixé sur un nouveau point. Pierre Nahour était bien arrivé le matin même de Genève à bord d'un Métropolitan où il avait trouvé place à la dernière minute.

— Et maintenant, patron ?

— Comme tu vois, je vérifie... Tu sais à quelle heure Nahour a dîné hier au soir ?

— Vers huit heures et demie... Il est parti

un peu après neuf heures et demie... Il a mangé de l'agneau, puis un gâteau aux amandes et aux raisins...

— Passe à côté et donne ce renseignement au docteur Colinet qui en a besoin pour fixer l'heure de la mort...

Lui-même cherchait le numéro de téléphone de Me Leroy-Beaudieu, dont le nom lui paraissait familier. Quand il l'eut au bout du fil, le notaire s'écria :

— Quoi de nouveau, mon cher commissaire ? Voilà bien longtemps que je n'aie eu le plaisir de vous voir ou de vous entendre...

Et, comme Maigret cherchait dans sa mémoire, le notaire poursuivit :

— L'affaire Montrond, vous vous souvenez ?... Ce vieux client à moi dont la femme...

— Oui... Oui...

— Qu'est-ce que je peux faire pour vous ?

— Vous avez, je pense, entre vos mains, le testament d'un certain Félix Nahour...

— En effet... Il a annulé l'ancien et en a rédigé un nouveau voilà environ deux ans...

— Vous savez pourquoi il a changé d'intention ?

Il y eut un silence embarrassé.

— La question est délicate et je me trouve dans une situation fausse... M. Nahour ne s'est jamais confié à moi... En ce qui concerne le testament lui-même, vous n'ignorez pas que je suis tenu au secret professionnel... Si cela peut vous aider, je peux seulement vous dire qu'il s'agissait de raisons purement personnelles...

— Félix Nahour a été assassiné la nuit dernière dans son bureau.

— Ah! Les journaux n'en ont pas parlé.

— Ils en parleront dans leurs prochaines éditions.

— On a arrêté l'assassin?

— Nous ne pouvons faire, jusqu'ici, que des suppositions contradictoires. N'arrive-t-il pas assez souvent, et ceci, je pense, vous pouvez me le dire, que quand un mari rédige son testament sa femme rédige le sien en même temps?

— J'ai vu le cas se présenter.

— En ce qui concerne M. et Mme Nahour?

— Je n'ai jamais vu Mme Nahour et je n'ai eu aucun rapport avec elle. C'est une ancienne reine de beauté, n'est-ce pas?

— C'est exact.

— Quand a lieu l'enterrement?

— Je l'ignore, car le corps est encore entre les mains du médecin légiste.

— D'habitude, nous attendons les obsèques avant de convoquer les intéressés. Vous croyez que ce sera long?

— C'est possible.

— Vous avez averti la famille?

— Le frère, Pierre Nahour, est arrivé ce matin à Paris . Quant au père, qui était encore à midi à Beyrouth, il a dû s'embarquer dans le premier avion.

— Et Mme Nahour?

— Nous l'attendons demain matin.

— Écoutez, mon cher commissaire, je vais envoyer les convocations dès ce soir. Voulez-vous pour demain après-midi?

— Cela m'arrangerait.

— Je voudrais vous aider dans la mesure de mes moyens sans enfeindre nos règles professionnelles. Tout ce que je puis vous dire, c'est que Mme Nahour, si elle était au courant du premier testament, aura une assez désagréable surprise à la lecture du second. Cela vous est-il utile ?

— Très utile. Je vous remercie, Maître.

Janvier était de retour dans le bureau de Maigret.

— Il y a du nouveau, murmura celui-ci d'un air mi-figue mi-raisin. Si je comprends bien, Mme Nahour était la principale bénéficiaire du premier testament. Il y a environ deux ans, le mari en a rédigé un second et je serais surpris qu'il laisse à sa femme plus que le minimum prévu par la loi.

— Vous croyez que c'est elle qui...

— Tu oublies que je ne crois jamais rien avant la fin d'une enquête.

Il ajouta avec un sourire sceptique :

— Et encore!

C'était décidément l'après-midi des coups de téléphone.

— Demande-moi la pension des Palmiers, à Mougins.

Il fouilla dans ses poches, y pêcha un bout de papier sur lequel il avait noté le nom de la nurse.

— Vois si Mlle Jobé est là.

Il alla se camper devant la fenêtre, car il se sentait engourdi d'être resté si longtemps dans son fauteuil. Les flocons de neige devenaient plus rares. Les rues étaient déjà éclairées depuis un bon moment et, dans certaines artères, elles n'avaient pas cessé de l'être de la journée.

Sur le pont Saint-Michel, un embouteillage empêchait toute circulation et trois agents en uniforme s'efforçaient de démêler l'écheveau de voitures et d'autobus à grand renfort de coups de sifflet.

— Allô! C'est bien Mlle Jobé?... Un instant, s'il vous plaît... Je vous passe le commissaire Maigret... Non... De la Police Judiciaire, à Paris...

Maigret saisaissait l'appareil et restait debout, une cuisse sur son bureau.

— Allô, mademoiselle Jobé... Je suppose que les deux enfants sont avec vous?... Comment?... Vous n'avez pas pu les sortir à cause de la pluie et du froid?... Consolez-vous, car la neige rend la circulation presque impossible à Paris...

» Je voudrais que vous me disiez si vous avez des nouvelles de M. Nahour... Il vous a téléphoné hier?... Vers quelle heure?... Dix heures du matin... Oui, je comprends... Il téléphonait toujours avant la promenade ou le soir... Avait-il une raison spéciale pour vous appeler?... Rien de particulier... Cela lui arrivait deux ou trois fois par semaine...

» Et Mme Nahour?... Moins souvent?... Une fois?... Parfois quinze jours entre deux coups de téléphone?...

» Non, mademoiselle... Si je vous pose ces questions, c'est que M. Nahour a été assassiné la nuit dernière... Personne n'a été arrêté... Puis-je vous demander depuis combien de temps vous travaillez pour cette famille?...

Depuis cinq ans ?... Donc, depuis la naissance du premier enfant...

» Il m'est malheureusement impossible de me rendre à Mougins en ce moment... Peut-être serai-je obligé d'envoyer une commision rogatoire afin que la Brigade Judiciaire de Cannes enregistre votre déposition... Mais non !... Ne craignez rien... Je comprends votre situation...

» Écoutez-moi... Lorsque vous êtes entrée en fonctions, les Nahour voyageaient beaucoup, n'est-ce pas ?... Oui... Tantôt à Cannes, à Deauville, à Évian... La plupart du temps ils louaient une villa pour la saison ou une partie de la saison... Est-ce que vous les suiviez ?... Souvent ?... Oui... je vous entends parfaitement...

» Vous avez vécu au Ritz avec eux et la petite fille... Puis, trois ans après, le garçon est né... C'est bien cela ?... Ce n'est pas un enfant maladif qui a besoin d'un climat plus chaud que celui de Paris ?... Si je ne me trompe, il a maintenant deux ans... Et c'est un diable...

» Je vous en prie... Allez-y !... Je reste à l'appareil... »

Il indiqua à Janvier :

— Les gosses sont en train de se disputer dans la pièce voisine... Elle me fait l'effet d'une fille très bien... Ses réponses sont nettes et elle les fournit sans hésiter... Pourvu que cela dure !... Allô !... Oui... Donc, M. Nahour s'occupait davantage des enfants que sa femme... C'est à lui que vous adressiez chaque jour un court rapport sur leur santé et leurs activités...

» Avez-vous remarqué une certaine tension entre les époux ?... Difficile à dire, je sais... Chacun avait son existence personnelle... Cela ne vous a pas surprise?... Au début seulement?... Vous vous y êtes habituée...

» Ils venaient les voir ensemble ?... Rarement ?... Je vous suis très reconnaissant de votre aide... Je comprends que vous n'en sachiez pas davantage... Je vous remercie, mademoiselle... »

Maigret poussa un profond soupir et ralluma la pipe qu'il avait laissé éteindre.

— Et maintenant, la corvée... Au fond, je dis ça par habitude, car le juge Cayotte est bien gentil...

Il prit, sur son bureau, le rapport de son ami Pardon et se dirigea sans se presser vers le quartier des juges d'instruction au Palais de Justice. Cayotte n'avait pas eu droit aux locaux modernisés et son cabinet ressemblait aux descriptions des romanciers du siècle dernier.

Même le greffier semblait surgir d'un dessin de Forain ou de Steinlen et c'est tout juste s'il ne portait pas des manches de lustrine.

Faute de place dans les rayons de bois peint en noir, des dossiers s'empilaient sur le plancher et la lampe qui pendait au-dessus du bureau du magistrat avait perdu son abat-jour.

— Asseyez-vous, Maigret... Alors ?...

Le commissaire n'essaya pas de tricher. Pendant plus d'une heure, il resta assis sur une mauvaise chaise, à déballer tout ce qu'il savait. Quand il partit enfin, la fumée de sa pipe et celle des cigarettes que le juge fumait à la chaîne formaient un épais brouillard autour de l'ampoule électrique.

***

Dès neuf heures et demie du matin, Maigret était à l'aéroport, bien que l'avion d'Amsterdam ne fût attendu qu'à 9 h 57. C'était dimanche. En se rasant, il avait entendu la radio recommander aux automobilistes de ne circuler qu'en cas de nécessité car la croûte de neige, sur les routes, était plus dure et plus glissante que jamais.

Lucas l'avait amené et l'attendait dans la voiture de la P.J. Il y avait plus d'animation dans les halls de l'aéroport que dans les rues de Paris et on y respirait un air chaud, d'une chaleur presque humaine, qui faisait monter le sang à la tête.

Le commissaire, après avoir bu un verre de bière à un des bars avait l'impression d'être cramoisi et regrettait de s'être encombré, sur l'insistance de Mme Maigret, de l'écharpe étouffante qu'elle lui avait tricotée.

Les hauts-parleurs annoncèrent que l'atterrissage de l'avion de Copenhague, via Amsterdam, était retardé d'une dizaine de minutes et il fit les cent pas en observant les policiers qui, à la sortie, examinaient les passeports, jetaient un bref coup d'œil au visage du voyageur, apposaient ou n'apposaient pas de cachet, selon les cas.

La veille, vers 8 heures, Keulemans lui avait téléphoné boulevard Richard-Lenoir, alors qu'il se mettait à table après avoir tourné le bouton de la télévision.

— Lina Nahour a retenu deux places dans l'avion qui décolle à 8 h 45 à destination d'Orly.

— Alvaredo l'accompagne?

— Non. La seconde place est pour son amie, Anna Keegel. Le jeune homme, lui, a retenu une place dans l'avion de 11 h 22 qui arrive à Paris à 12 h 45.

— Ils se sont téléphonés à nouveau?

— Vers cinq heures. Lina Nahour a simplement annoncé l'heure de son départ, en ajoutant que son amie l'accompagnerait. Il a répliqué qu'il prendrait l'avion suivant. Quand il lui a demandé de ses nouvelles, elle a répondu qu'elle se sentait très bien et que la température était tombée à 37° 5.

On signalait enfin l'arrivée de l'appareil et Maigret alla coller le visage à la vitre froide, suivant des yeux les allées et venues traditionnelles autour de l'appareil.

Il ne reconnut pas celle qu'il cherchait parmi les passagers et passagères, dont quatre enfants, qui descendirent les premiers, et il commençait à craindre qu'elle ait changé d'avis quand il vit une jeune femme vêtue de loutre s'appuyant, pour descendre, au bras de sa compagne.

Anna Keegel, petite et brune, portait un manteau de grosse laine qu'elle avait choisi d'un vert acide.

L'hôtesse, au dernier moment, aida Lina à monter dans le petit bus où les autres passagers étaient déjà entassés et bientôt la portière en était refermée.

Après avoir été les dernières à sortir de l'avion, les deux femmes furent les dernières à présenter leur passeport et Maigret, appuyé au guichet, eut le loisir de les observer de près.

Lina Nahour était-elle vraiment belle ? C'était une question de goût. Elle avait le teint clair, lumineux des nordiques, dont Pardon lui avait parlé, un petit nez pointu, des yeux d'un bleu de porcelaine.

Ce matin, ses traits étaient tirés et on avait l'impression qu'elle ne tenait debout que grâce à un grand effort.

Anna Keegel, elle, était d'une laideur sympathique et, même si l'heure n'était pas à la gaieté, on la devinait capable de rire de tout et de rien.

Il les suivit à distance jusqu'à la douane où elles attendirent quelques minutes une valise verte et une autre valise, de moins bonne qualité, qui devait appartenir à Anna.

Un porteur se chargea des deux bagages et, arrivé au bord du trottoir, héla un taxi, tandis que Maigret prenait place à côté de Lucas.

— Ce sont elles ?

— Oui. Ne te laisse pas semer.

Ce ne fut pas difficile, car le chauffeur du taxi était prudent et ils mirent trois quarts d'heure à atteindre le parc Montsouris.

— Vous aviez prévu qu'elles iraient ailleurs ?

— Je n'avais rien prévu. Je voulais être sûr. Arrête-toi derrière le taxi dès qu'il stoppera et attends-moi.

Les deux femmes descendirent et, avant de s'avancer vers la grille du jardin, Lina Nahour regarda d'abord la maison du haut en bas, parut hésitante, se laissa enfin entraîner par son amie.

Maigret les dépassa pour arriver avant elles au pied du perron.

— Qui êtes-vous ? questionna Lina en fronçant les sourcils.

Elle avait une légère pointe d'accent.

— Commissaire Maigret. C'est moi qui enquête sur la mort de votre mari. Je dois vous demander la permission de vous suivre à l'intérieur...

Si elle ne protesta pas, elle parut plus nerveuse et serra davantage son manteau contre elle. Le chauffeur apportait les bagages, qu'il laissa sur le perron, et ce fut Anna Keegel qui ouvrit son sac à main pour payer la course.

Le gros Torrence, qui avait pris la garde de jour, ouvrit la porte sans mot dire et Lina le regarda, lui aussi, avec étonnement plutôt qu'avec inquiétude.

On devinait qu'elle ne savait que faire ni où aller, qu'elle hésitait entre monter dans sa chambre et pénétrer dans le studio.

— Où est le corps ? demanda-t-elle à Maigret.

— A l'Institut Médico-légal.

Fut-elle soulagée qu'il ne fût plus dans la maison ? Elle parut frissonner, mais elle était si tendue que ses mouvements étaient plutôt des réflexes.

Elle finit par poser la main sur le bouton de la porte du studio et, au moment où elle allait le tourner, la porte fut ouverte de l'intérieur et on vit apparaître Pierre Nahour qui s'étonna de trouver quatre personnes dans le corridor.

— Bonjour, Pierre... dit-elle en lui tendant la main.

Y eut-il réellement une hésitation de la part du banquier de Genève ? Toujours est-il qu'il finit par tendre la main à son tour.

— Où cela s'est-il passé ?

Pierre Nahour reculait pour laisser entrer Lina, son amie et le commissaire, tandis que Torrence restait dans le couloir.

— Ici... Derrière le bureau...

Elle fit quelques pas hésitants, découvrit la tache de sang et détourna la tête.

— Comment a-t-on fait ça ?

— On a tiré sur lui.

— Il est mort tout de suite ?

Pierre Nahour restait calme, assez froid, observant sa belle-sœur sans qu'on pût lire aucun sentiment sur son visage.

— On ne sait pas... La femme de ménage l'a découvert en prenant son travail hier matin...

La sentant vacillante, son amie la conduisit vers un fauteuil où Lina s'assit avec précaution, car son dos devait la faire souffrir. Elle fit signe qu'elle désirait une cigarette et Anna Keegel la lui passa toute allumée.

Le silence était assez pénible. Maigret lui-même ressentait une certaine gêne devant l'état physique et sans doute moral de la jeune femme dont les nerfs devaient être tendus à craquer.

— On ne sait pas s'il a souffert ?

— On ne sait pas, laissa tomber sèchement Pierre Nahour.

— A quelle heure cela... cela s'est-il passé ?

— Probablement entre minuit et une heure du matin...

— Il n'y avait personne dans la maison ?

— Fouad était au cercle et Nelly dormait... Elle prétend qu'elle n'a rien entendu...

— C'est vrai que je dois assister à une réunion chez le notaire ?

— Il m'a téléphoné, oui... Demain après-midi... Mon père est arrivé la nuit dernière et se repose à l'hôtel Raspail...

— Qu'est-ce que je vais faire ? demanda-t-elle sans s'adresser à quelqu'un en particulier.

Après un silence plus désagréable encore que les précédents, ce fut son amie qui lui répondit en néerlandais.

— Tu crois ?... lui demanda-t-elle en français. Oui. C'est peut-être mieux... Je n'aurais pas le courage de dormir dans cette maison...

Elle chercha Maigret des yeux.

— Je vais m'installer à l'hôtel, avec mon amie et ma femme de chambre...

Elle n'en demandait pas l'autorisation, comme une suspecte, mais annonçait simplement sa décision.

Puis elle s'adressait à nouveau à son beau-frère :

— Nelly est en haut ? Où est Mme Bodin ?

— Elle n'est pas venue. Nelly est dans sa chambre.

— Je monte prendre du linge et quelques

vêtements... Tu viens m'aider, Anna?...

Restés seuls, les deux hommes se regardaient sans mot dire.

— Comment votre père a-t-il supporté le coup, monsieur Nahour?

— Assez mal... Ma sœur l'a accompagné et ils sont tous les deux allés se reposer à l'hôtel.. C'est moi qui ai insisté pour qu'ils ne restent pas ici...

— Vous y restez, vous?

— Je préfère... Commencez-vous à avoir une idée de la personnalité de l'assassin, monsieur Maigret?

— Et vous?

— Je ne sais pas... Pourquoi n'avez-vous pas interrogé ma belle-sœur?...

— J'attends qu'elle soit installée à l'hôtel. Pour le moment, elle ne pourrait sans doute pas en supporter davantage...

Ils se tenaient debout et Pierre Nahour avait le regard dur.

— Je voudrais vous poser une question, dit doucement le commissaire. Vous avez lu la correspondance de votre frère et vous avez eu l'occasion de bavarder avec Ouéni... Il ne semble pas disposé à collaborer avec nous... Peut-être, avec vous...

— J'ai essayé d'en tirer quelque chose, hier au soir, sans beaucoup de succès...

— Le nombre des coupables possibles paraît assez restreint, à une seule condition...

— Laquelle?

— Supposez que votre frère, contrairement à votre première supposition, n'ait pas seulement joué, même les derniers temps, pour son propre compte, mais qu'il l'ait fait pour un syndicat, comme cela lui est arrivé dans le passé...

— Je vois où vous voulez en venir et je vous prie, monsieur le Commissaire, de ne pas vous attarder à une telle hypothèse... Mon frère était un homme honnête, comme tous les Nahour... Il était même scrupuleux au point d'en de venir tatillon, comme je m'en suis rendu compte en parcourant sa correspondance...

» Il est impensable que, travaillant, avec un syndicat, il ait fait tort, fût-ce d'un centime, à celui-ci, et qu'il ait été ensuite l'objet d'une vengeance... »

— Je suis heureux de vous l'entendre dire.. Je m'excuse d'être obligé, de par mes fonctions, de ne négliger aucune hypothèse... C'est peut-être la présence d'Ouéni dans la maison qui m'a donné cette idée...

— Je ne comprends pas...

— La situation d'Ouéni ne vous paraît-elle pas assez équivoque ?... Il n'est ni tout à fait un secrétaire, ni tout à fait un valet de chambre ou un chauffeur, et ce n'est pas un égal non plus... De là à penser qu'il aurait pu jouer auprès de votre frère le rôle de surveillant, de représentant du syndicat...

Nahour eut un sourire ironique.

— Si quelqu'un d'autre que vous me disait cela, je lui répondrais qu'il a lu trop de romans policiers... Je vous ai parlé du sens de la famille chez les Libanais... Or, la famille ne s'arrête pas aux parents plus ou moins proches. Il arrive que de vieux serviteurs en fassent partie, que des amis vivent dans la maison sur un pied d'égalité...

— Vous auriez choisi Ouéni ?

— Non... D'abord, parce que l'homme ne m'est pas sympathique, ensuite parce que je me suis marié de bonne heure et que ma femme me suffit... N'oubliez pas que Félix, lui, est resté célibataire jusqu'à l'âge de trente-cinq ans... Nous étions persuadés, dans la famille qu'il ne se marierait jamais...

— Vous permettez ?

Maigret, qui entendait des pas dans l'escalier, alla ouvrir la porte. Lina avait changé de robe et portait maintenant son manteau de vison. Nelly Velthuis la suivait, le regard lointain, portant une valise, et Anna Keegel, chargée de bagages, elle aussi, fermait la marche.

— Vous voulez bien m'appeler un taxi, Pierre ?... Je n'aurais pas dû renvoyer le mien...

Elle regarda le commissaire d'un air interrogateur et Maigret questionna :

— A quel hôtel comptez-vous descendre ?.. Au Ritz ?...

— Oh ! non, cela me rappellerait trop de souvenirs... Attendez, comment s'appelle cet hôtel au coin de la rue de Rivoli, près de la place Vendôme...

— L'hôtel du Louvre ?...

— C'est ça... Nous allons à l'hôtel du Louvre...

— Je me permettrai de vous y rendre visite tout à l'heure, car je suis obligé de vous poser quelques questions...

— Le taxi vient tout de suite...

Il était presque midi. C'était au tour de Janvier d'arriver bientôt à Orly pour y attendre Alvaredo et le prendre en filature.

— Au revoir, Pierre... A quelle heure est le rendez-vous de demain, et chez quel notaire ?

— Trois heures, chez Maître Leroy-Beaudieu, boulevard Saint-Germain...

— Inutile de noter, intervint Maigret. Je vous donnerai l'adresse à l'hôtel...

Il fallut un certain temps pour caser les bagages et les trois passagères dans l'auto. Sur le trottoir, Lina frissonnait visiblement et regardait autour d'elle comme si elle ne reconnaissait pas un décor qui lui était pourtant familier.

Pierre Nahour avait refermé la porte et il sembla à Maigret qu'un rideau bougeait, à la fenêtre qui devait être celle d'Ouéni.

Il lança à Lucas, en prenant place près de lui :

— Tu les suis... Elles vont à l'hôtel du Louvre mais je préfère en être sûr... Jusqu'ici, dans cette affaire, je ne suis pas certain d'avoir entendu une seule vérité...

Les rues étaient aussi désertes qu'au mois d'août, sans les autocars de touristes. Le taxi s'arrêta devant l'hôtel du Louvre. Lina et son amie entrèrent d'abord, sans doute pour s'assurer qu'il y avait des chambres libres. Quelques instants plus tard, un bagagiste vint chercher les bagages tandis que la femme de chambre regardait le compteur et payait la course.

— Va ranger la voiture quelque part et retrouve-moi au bar. Il faut quand même que je lui laisse le temps de prendre possession de son appartement et de se mettre à l'aise.

D'ailleurs, il avait soif.

CHAPITRE

5

Le bar était sombre et silencieux. Deux Anglais, assis sur de hauts tabourets, remuaient bien les lèvres, mais on n'entendait rien de leur conversation. Les murs étaient recouverts de panneaux de chêne et les appliques de bronze ne répandaient, tous les quatre ou cinq mètres, qu'un éclairage discret. Une jeune femme attendait, dans un coin, devant un cocktail rougeâtre. Quatre hommes, dans le coin opposé, se penchaient parfois l'un vers l'autre.

Ici aussi, c'était dimanche, un jour creux, en dehors du temps réel. C'est à peine si, entre les rideaux crème, on apercevait un peu de neige sale, des arbres noirs, la tête mouvante d'un passant ou d'une passante.

— Vestiaire, monsieur ?

— Pardon...

Ses enquêtes le conduisaient plus souvent dans des bistrots de quartier ou dans les bars bruyants du quartier des Champs-Élysées que dans les palaces. Il se débarrassa de son pardessus, eut un soupir de soulagement en enlevant son écharpe trop chaude.

— Une bière... commanda-t-il à mi-voix au barman qui le dévisageait comme s'il cherchait à se rappeler où il avait vu sa tête.

— Calrsberg, Heinekenn ?

— N'importe laquelle.

Le brave Lucas, lui aussi, fut arrêté par la demoiselle du vestiaire.

— Qu'est-ce que tu prends ?

— Et vous, patron ?

— J'ai commandé de la bière.

— Alors, la même chose.

Les mots Grill Room s'inscrivaient en lettres faiblement lumineuses au-dessus d'une porte ouverte d'où venaient de légers bruits d'assiettes.

— Tu as faim ?

— Pas trop...

— Tu connais le numéro des chambres ?

— 437, 438 et 439. Deux chambres et un petit salon.

— Et Nelly ?

— Elle couche dans une des chambres. Le 437 est une grande chambre à deux lits pour Mme Nahour et son amie...

— Je reviens tout de suite...

Maigret, dans le vaste couloir de marbre, se dirigea vers une porte marquée Téléphone.

— Voulez-vous me donner le 437, s'il vous plaît ?

— Un instant...

— Allô !... Mme Nahour ?

— De la part de qui ?

— Commissaire Maigret.

— Ici, Anna Keegel. Mme Nahour est dans son bain.

— Demandez-lui si elle préfère que je monte d'ici une dizaine de minutes ou si elle aime mieux déjeuner d'abord.

Il attendit un bon moment. Il entendait des voix indistinctes.

— Allô !... Elle n'a pas faim, car elle a mangé dans l'avion, mais elle préférerait que vous ne montiez pas avant une demi-heure.

Maigret et Lucas, quelques minutes plus tard, pénétraient dans le grill, aussi feutré que le bar, avec les mêmes panneaux de chêne, les mêmes appliques, et de petites lampes sur les tables. Il n'y en avait que trois ou quatre occupées et tout le monde chuchotait comme à l'église. Le maître d'hôtel, les chefs de rang et les garçons allaient et venaient en silence à la façon des servants d'un culte.

Quand on lui tendit une carte immense, Maigret hocha la tête.

— Une assiette anglaise, murmura-t-il.

— Pour moi aussi.

Le maître d'hôtel corrigea :

— Deux viandes froides.

— Avec de la bière.

— Je vous envoie le sommelier.

— Veux-tu téléphoner au Quai pour leur dire que nous sommes ici ? Qu'on essaie d'avertir Janvier, qui doit être encore à Orly. Donne-leur le numéro de l'appartement.

Maigret était lourd, tout à coup, et Lucas, qui reconnaissait ce symptôme, avait soin de ne pas lui poser de questions inutiles.

Le repas fut presque silencieux, sous l'œil du maître d'hôtel et des garçons.

— Vous prendrez du café ?

Un homme en costume national turc vint le leur servir avec des gestes précieux.

— Il vaut mieux que tu montes avec moi.

Ils atteignirent le quatrième étage, trouvèrent le 437, à la porte duquel ils frappèrent, mais ce fut la porte du 438 qui s'ouvrit.

— Par ici... leur dit Anna Keegel.

Elle avait pris un bain ou une douche, elle aussi, car elle avait encore une mèche de cheveux mouillée.

— Entrez... Je vais avertir Lina...

Dans le salon, qui n'était pas grand, tout était doux et moelleux, les murs gris pâle, les fauteuils d'un bleu très tendre aussi, la table peinte en blanc ivoire. Dans la pièce de gauche, on entendait quelqu'un aller et venir, Nelly Velthuis, probablement, qui devait finir de défaire les bagages.

Ils attendirent assez longtemps, debout, mal à l'aise, et enfin les deux femmes entrèrent. Maigret fut surpris, car il s'attendait à ce que Lina Nahour le reçoive au lit.

Elle venait de se coiffer et n'avait aucun maquillage. Elle portait une robe de chambre en velours vieux rose.

Elle paraissait frêle, vulnérable. Si elle faisait un effort pour les recevoir, il n'y paraissait pas et sa tension du matin avait disparu.

Elle s'étonna de trouver deux hommes au lieu d'un seul qu'elle attendait et elle resta un instant, comme en suspens, à regarder Lucas.

— Un de mes inspecteurs, expliqua Maigret.

— Asseyez-vous, Messieurs.

Elle-même s'assit sur le canapé où son amie vint s'installer près d'elle.

— Je m'excuse de vous déranger dès votre arrivée, mais vous comprendrez, Madame, que j'aie quelques questions à vous poser.

Elle allumait une cigarette et les doigts qui tenaient l'allumette tremblaient un peu.

— Vous pouvez fumer.

— Je vous remercie.

Il ne bourra pas sa pipe tout de suite.

— Puis-je vous demander où vous étiez la nuit de vendredi à samedi ?

— A quelle heure ?

— Je préférerais que vous me fournissiez votre emploi du temps de la soirée et de la nuit.

— J'ai quitté la maison vers huit heures du soir.

— A peu près en même temps, donc, que votre mari ?

— Je ne sais pas où il était à ce moment-là.

— Vous aviez l'habitude de sortir ainsi sans lui dire où vous alliez ?

— Nous avions l'un comme l'autre la liberté de nos mouvements.

— Vous avez pris votre voiture ?

— Non. Les rues étaient verglacées et je n'avais pas envie de conduire.

— Vous avez appelé un taxi ?

— Oui.

— En vous servant du téléphone qui se trouve dans votre chambre ?

— Oui. Bien entendu.

Elle parlait d'une voix de petite fille qui récite sa leçon et ses yeux innocents rappelaient quelque chose au commissaire. Ce n'est qu'après quelques répliques qu'il pensa à la femme de chambre, à ses prunelles presque transparentes, à ses expressions infantiles.

Il retrouvait les mêmes attitudes chez Lina, à croire qu'une des femmes avait copié sur l'autre, tant leurs expressions, et jusqu'à certains battements précipités des cils, étaient semblables.

— Où vous êtes-vous fait conduire ?

— Dans un grand restaurant des Champs-Élysées, le *Marignan*.

— Elle avait hésité avant de lancer ce dernier mot.

— Vous dîniez souvent au *Marignan* ?

— Parfois.

— Seule ?

— La plupart du temps.

— Où vous êtes-vous assise ?

— Dans la grande salle.

Où il y avait d'habitude une centaine de clients, de sorte que son alibi était incontrôlable.

— Personne n'est venu vous rejoindre ?

— Non.

— Vous n'aviez aucun rendez-vous ?

— Je suis restée seule jusqu'à la fin.

— C'est-à-dire jusqu'à quelle heure ?

— Je ne sais pas. Peut-être dix heures.

— Vous n'êtes pas passée auparavant par le bar ?

Une nouvelle hésitation avant un signe de tête négatif.

La plus nerveuse des deux, maintenant, était l'amie, Anna Keegel, qui regardait tour à tour Lina et le commissaire, tournant la tête à chaque réplique.

— Ensuite ?

— J'ai marché un peu le long des Champs-Élysées, pour prendre l'air.

— Malgré les trottoirs glissants ?

— Les trottoirs aviaent été dégagés. A peu près à la hauteur du Lido, j'ai pris un taxi et je me suis fait ramener ici.

— Vous n'avez toujours pas vu votre mari, qui pourtant est rentré vers dix heures ?

— Je ne l'ai pas vu. Je suis montée dans ma chambre où Nelly achevait de boucler ma valise.

— Parce que vous aviez décidé d'aller en voyage ?

Avec la plus grande candeur, elle répondit :

— Depuis huit jours.

— Quelle était votre destination ?

— Mais... Amsterdam, naturellement.

Et elle se mit à parler en néerlandais à Anna Keegel. Celle-ci se leva, entra dans la chambre, en revint un peu plus tard avec une lettre. Celle-ci, datée du 6 janvier, n'était écrite ni en français ni en anglais.

— Vous pourrez vous la faire traduire. J'annonce à Anna mon arrivée pour le 15 janvier.

— Vous aviez retenu votre place d'avion ?

— Non. Ma première idée était de partir par le train. Il y en a un à 11h 12.

— Vous n'aviez pas l'intention d'emmener votre femme de chambre ?

— Il n'y a pas de place pour elle dans l'appartement d'Anna.

Maigret, qui tenait à la laisser s'enferrer jusqu'au bout, ressentait une sorte d'admiration pour la tranquille candeur avec laquelle elle débitait ses mensonges.

— En partant, vous ne vous êtes pas arrêtée au rez-de-chaussée ?

— Non. Le taxi que Nelly avait appelé était déjà au bord du trottoir.

— Vous n'avez pas dit au revoir à votre mari ?

— Non. Il était au courant.

— Vous vous êtes fait conduire à la gare du Nord ?

— Nous sommes arrivés en retard, à cause du mauvais état des rues. Comme le train était parti, je me suis fait déposer à Orly.

— En passant par le boulevard Voltaire ?

Elle ne tressaillit même pas. Ce fut la Keegel qui sourcilla.

— Où est-ce ?

— Je regrette de devoir vous répondre que vous le savez aussi bien que moi. Comment avez-vous eu l'adresse du docteur Pardon ?

Il y eut un long silence. Elle alluma une autre cigarette, se leva, fit quelques pas dans la pièce, revint s'asseoir. Si elle était troublée, cela ne se voyait pas. Elle semblait plutôt réfléchir avant de prendre un parti.

— Qu'est-ce que vous savez ? questionna-t-elle à son tour en regardant Maigret en face.

— Que vous avez été blessée dans le studio, par une balle tirée par votre mari à l'aide d'un 6.35 à crosse de nacre qui vous a appartenu autrefois et qu'il gardait dans un tiroir de son bureau.

Le bras sur l'accoudoir, elle se tenait le menton dans la main et regardait toujours le commissaire comme avec curiosité. On aurait pu croire à une petite fille modèle écoutant la leçon de son professeur.

— Vous n'avez pas quitté la maison en taxi, mais dans la voiture rouge d'un ami nommé Vicente Alvaredo. C'est lui qui vous a conduite boulevard Voltaire, où Alvaredo a raconté une histoire incroyable d'attentat par un automobiliste inconnu...

» Le docteur Pardon, chez qui vous n'avez pas desserré les dents, vous a fait un pansement provisoire. Vous êtes retournée dans son bureau et, pendant qu'il retirait sa blouse et se lavait les mains, vous avez quitté sans bruit l'appartement... »

— Qu'est-ce que vous voulez de moi ?

Elle ne s'était pas démontée. On aurait juré qu'elle lui souriait, toujours comme une petite fille prise en faute et qui ne considére pas un mensonge comme un gros péché.

— Je désire la vérité.

— J'aimerais mieux que vous me posiez des questions.

Cela aussi était habile, car elle pourrait apprendre de la sorte ce que la police savait exactement. Maigret n'entra pas moins dans le jeu.

— Cette lettre a vraiment été écrite le

6 janvier ? Sachez, avant de répondre, que l'analyse de l'encre nous permettra de nous en assurer.

— Elle a été écrite le 6 janvier.

— Votre mari était au courant ?

— Il devait s'en douter.

— Se douter de quoi ?

— Que je partirais prochainement.

— Pourquoi ?

— Parce que, depuis longtemps, la vie n'était plus tenable.

— Combien de temps ?

— Des mois.

— Deux ans ?

— Peut-être.

— Depuis que vous avez rencontré Vicente Alvaredo.

Anna Keegel devenait de plus en plus nerveuse et son pied toucha comme par hasard la mule rose de Lina.

— C'est à peu près exact.

— Votre mari connaissait votre liaison ?

— Je ne sais pas. C'est possible que quelqu'un nous ait rencontrés, Vicente et moi. Nous ne nous cachions pas.

— Cela vous paraît normal qu'une femme mariée...

— Si peu !

— Que voulez-vous dire ?

— Il y a des années que Félix et moi vivions comme des étrangers.

— Pourtant, voilà deux ans, vous avez eu un second enfant.

— Parce que mon mari voulait absolument un fils. Heureusement que cela n'a pas été une seconde fille.

— Votre fils est de lui ?

— Sans aucun doute. Lorsque j'ai rencontré Alvaredo, je relevais de mes couches et je commençais seulement à sortir.

— Vous n'avez pas eu d'autres amants ?

— Croyez-moi ou non. C'était le premier.

— Qu'aviez-vous prévu pour la soirée du 14 ?

— Je ne comprends pas.

— Le 6, vous avez écrit à votre amie que vous arriveriez le 15 à Amsterdam.

Anna Keegel se mit à lui parler en néerlandais mais Lina, sûre d'elle, hocha la tête et continua à regarder le commissaire avec la même assurance.

Maigret avait enfin allumé sa pipe.

— Je vais essayer de vous expliquer. Alvaredo voulait que je divorce afin de l'épouser. Je lui ai demandé une semaine, car je savais que ce ne serait pas facile. Il n'y a jamais eu de divorces dans la famille Nahour et Félix tenait à sauver les apparences.

» Nous avons décidé que je lui parlerais le 14 et que, quoi qu'il dise, nous partirions immédiatement pour Amsterdam.

— Pourquoi Amsterdam ?

Elle parut surprise de l'incompréhension du commissaire.

— Parce que c'est la ville où j'ai passé une partie de mon enfance, puis ma vie de jeune fille. Vicente ne connaissait pas la Hollande. Je voulais la lui montrer. Une fois le divorce obtenu, nous serions allés voir ses parents en Colombie avant de nous marier.

— Vous avez de la fortune personnelle ?

— Non, bien sûr. Mais nous n'avons pas besoin de l'argent des Nahour.

Elle ajouta avec une pointe d'orgueil assez naïf :

— Les Alvaredo sont plus riches qu'eux et ils possèdent la plupart des mines d'or de Colombie.

— Bon. Vous êtes donc partie vers huit heures sans rien dire à votre mari. Alvaredo vous attendait dans son Alfa-Roméo. Où avez-vous dîné ?

— Dans un petit restaurant du boulevard Montparnasse où Vicente prend presque tous ses repas, car il habite à côté.

— Vous étiez inquiète de la réaction possible de votre mari lorsqu'il connaîtrait votre décision.

— Non.

— Pourquoi, puisqu'il était opposé au divorce ?

— Parce qu'il n'avait aucun moyen de me retenir.

— Il vous aimait toujours ?

— Je ne suis pas sûre qu'il m'ait jamais aimée.

— Pour quelle raison vous aurait-il épousée ?

— Peut-être pour se montrer avec une jolie femme bien habillée. C'était à Deauville, l'année où j'ai été élue Miss Europe. Nous nous sommes croisés plusieurs fois dans les halls et les couloirs du casino. Un soir que je me trouvais près d'une table de roulette, il a poussé vers moi de larges jetons rectangulaires et m'a soufflé :

— Jouez le 14.

— Le 14 est sorti ?

— Pas la première fois, mais la troisième. Il est sorti deux fois coup sur coup et je n'avais jamais vu autant d'argent que ce soir-là quand je suis allée changer mes jetons à la caisse.

La situation était retournée. C'était sa vérité à elle, à présent, qui paraissait la plus plausible, presque évidente.

— Il s'est arrangé pour connaître le numéro de ma chambre et il m'a envoyé des fleurs. Nous avons dîné plusieurs fois ensemble. Il paraissait très timide. On sentait qu'il n'avait pas l'habitude de parler aux femmes.

— Il avait pourtant trente-cinq ans.

— Je ne suis pas tellement sûre qu'il ait connu d'autres femmes avant moi. Il m'a ensuite emmenée à Biarritz.

— Toujours sans rien vous demander ?

— A Biarritz, où, comme à Deauville, il passait ses nuits au casino, il est entré dans ma chambre, vers cinq heures du matin. D'habitude, il ne buvait pas. Ce soir-là, j'ai senti à son haleine qu'il avait pris de l'alcool.

— Il était ivre ?

— Il avait bu un verre ou deux pour se donner du courage.

— C'est alors que c'est arrivé ?

— Oui. Il n'est pas resté plus d'une demi-heure avec moi. Et, dans les cinq mois qui ont suivi, il n'est pas venu me retrouver plus d'une dizaine de fois. Il ne m'en a pas moins demandé de l'épouser. J'ai accepté.

— Parce qu'il était riche ?

— Parce que j'aimais la vie qu'il menait, d'hôtel en hôtel, de casino en casino. Nous nous sommes mariés à Cannes. Nous avons continué à faire chambre à part. C'était lui qui le voulait. Il était très pudique. Je crois qu'il avait un peu honte d'être aussi gras car, à cette époque, il était plus gras que les dernières années.

— Il se montrait tendre avec vous ?

— Il me traitait en petite fille. Il ne changeait rien à son existence habituelle et nous étions partout accompagnés d'Ouéni, avec qui il passait plus de temps qu'avec moi.

— Quelles étaient vos relations avec Ouéni ?

— Je ne l'aime pas.

— Pourquoi ?

— Je ne sais pas. Peut-être parce qu'il avait trop d'influence sur mon mari. Peut-être aussi parce qu'il appartient à une autre race, que je ne comprends pas.

— Quelle était l'attitude d'Ouéni à votre égard ?

— Il semblait ne pas me voir. Il doit mépriser profondément, comme il méprise toutes les femmes. Un jour que je m'ennuyais, j'ai demandé la permission de faire venir une femme de chambre hollandaise. J'ai mis une annonce dans les journaux d'Amsterdam et j'ai choisi Nelly parce qu'elle paraissait gaie.

Elle souriait maintenant, tandis que son amie, inquiète, n'approuvait pas le tour que prenait l'entretien.

— Revenons-en à vendredi soir. A quelle heure êtes-vous revenue à la maison ?
— Vers onze heures et demie.
— Vous êtes restés, Alvaredo et vous, au restaurant jusqu'à cette heure-là ?
— Non. Nous sommes allés chez lui pour chercher sa valise. Je l'ai aidé à la faire. Nous avons bavardé en prenant un verre.
— Une fois ici, il est resté dans la voiture ?
— Oui.
— Vous êtes entrée dans le studio ?
— Non. Je suis montée dans ma chambre et je me suis changée. J'ai demandé à Nelly si Félix était en bas et elle m'a répondu qu'elle l'avait entendu rentrer.
— Elle vous a dit aussi s'il était seul ou avec son secrétaire ?
— Avec son secrétaire.
— Cela ne vous gênait pas pour l'entretien que vous vous proposiez d'avoir ?
— J'avais l'habitude de voir Ouéni toujours présent. Je ne sais pas quelle heure il était quand je suis descendue. J'avais déjà passé mon manteau. Nelly me suivait avec la valise qu'elle a déposée dans le couloir et nous nous sommes embrassées.
— Elle devait vous rejoindre ?
— Dès que je lui ferais signe.
— Elle est remontée dans sa chambre ? Sans attendre le résultat de votre entrevue ?
— Elle savait que ma décision était prise et que je ne me laisserais pas fléchir.
La sonnerie du téléphone résonna sur la petite table ronde. Maigret fit signe à Lucas de décrocher.

— Allô!... Oui... Il est ici... Je te le passe...

Maigret savait qu'il allait entendre la voix de Janvier.

— Il est arrivé, patron... Il est chez lui, boulevard...

— Boulevard Montparnasse...

— Vous savez déjà ? Il occupe un studio meublé au second étage. Je suis dans un petit bar, juste en face de l'immeuble...

— Continue... A tout à l'heure...

Et Lina, l'air aussi naturel, de questionner, comme si cela allait de soi :

— Vicente est arrivé ?

— Oui. Il est chez lui.

— Pourquoi la police le surveille-t-elle ?

— C'est son rôle de surveiller tous les suspects.

— Pourquoi serait-il suspect ? Il n'a jamais mis les pieds dans la maison de l'avenue du Parc-Montsouris.

— Vous le dites.

— Vous ne me croyez pas ?

— J'ignore quand vous mentez et quand vous dites la vérité. Au fait, comment avez-vous eu l'adresse du docteur Pardon ?

— C'est Nelly qui me l'a donnée. Elle la connaissait par notre femme de ménage, qui a habité le quartier. J'avais beoins de me faire soigner tout de suite, aussi loin que possible de la maison...

— Bon! grommela-t-il sans conviction, car il finissait par ne plus rien prendre pour acquis. Vous embrassez Nelly Verthuis dans le couloir où se trouve la valise. Elle monte l'escalier. Vous entrez dans le studio. Vous y trouvez votre mari qui travaille en compagnie d'Ouéni.

Elle approuvait de la tête.

— Vous lui avez parlé immédiatement de votre départ ?

— Oui. Je lui ai annoncé que je partais pour Amsterdam, d'où je lui ferais écrire par mon avocat afin de régler la question du divorce.

— Quelle a été son attitude ?

— Il m'a regardée longtemps sans rien dire, puis il a murmuré : « Ce n'est pas possible. »

— Il n'a pas eu l'idée de faire sortir Ouéni ?

— Non.

— Nahour était assis à son bureau ?

— Oui.

— Avec Ouéni assis en face de lui ?

— Non. Ouéni se tenait debout à son côté, des papiers à la main. Je ne me rappelle pas les mots que j'ai employés. J'étais malgré tout assez nerveuse.

— Alvaredo vous avait conseillé de vous munir d'une arme ? Il vous en avait passé une ?

— Je n'avais aucune arme. A quoi m'aurait-elle servi ? J'ai déclaré que ma décision était définitive, que rien ne me ferait changer d'avis et j'ai commencé à faire demi-tour pour me diriger vers la porte. C'est alors que j'ai entendu une détonation en même temps que je ressentais une douleur, comme une brûlure, à l'épaule.

» J'ai dû tourner la tête, car je me souviens de Félix, debout, qui tenait un pistolet à la main. Je revois surtout ses yeux écarquillés, comme s'il se rendait tout à coup compte de ce qu'il venait de faire. »

— Et Ouéni ?

— Il était à côté de lui, immobile.

— Qu'avez-vous fait ?

— J'avais peur de m'évanouir. Je ne voulais pas que cela m'arrive dans la maison, où je serais restée à la merci des deux hommes. Je me suis précipitée vers la porte. Je me suis retrouvée devant la voiture dont Vicente m'a ouvert la portière.

— Vous n'avez pas entendu une seconde détonation ?

— Non. J'ai dit à Vicente de me conduire boulevard Voltaire, chez un médecin que je connaissais...

— Vous ne connaissiez pourtant pas le docteur Pardon...

— Je n'avais pas le temps d'expliquer. Je me sentais très mal.

— Pourquoi n'êtes-vous pas allée chez Alvaredo, à deux pas, et n'a t-il pas appelé son médecin ?

— Parce que je ne voulais pas de scandale. J'avais hâte d'arriver en Hollande et j'étais persuadée que la police ne saurait rien. C'est pourquoi chez le docteur, je me suis tue, pour qu'on ne reconnaisse pas mon accent.

» Je ne m'attendais pas à ce qu'on nous pose de questions. Je ne savais même pas que la balle était restée dans la plaie, et je croyais celle-ci superficielle. Il fallait seulement arrêter le sang... »

— Quel moyen de transport aviez-vous

envisagé, Vicente et vous, pour vous rendre à Amsterdam ?

— Sa voiture. Quand je suis sortie de chez le médecin, je me suis sentie trop faible pour passer des heures en auto et Vicente a pensé à l'avion. Je me souvenais qu'il y a un avion de nuit, que j'ai pris une fois. À Orly, nous avons dû attendre longtemps et on n'était pas sûr que l'avion pourrait s'envoler à cause de la neige et du verglas.

» A Amsterdam, Vicente m'a tout de suite conduite en taxi dans l'appartement d'Anna et je lui ai désigné un hôtel où il devait attendre que je sois rétablie. Jusqu'au divorce, nous aurions occupé des chambres séparées...

— Pour éviter l'accusation d'adultère ?

— Les précautions n'étaient même plus nécessaires. Après le coup de feu, Félix ne pouvait pas me refuser le divorce.

— De sorte, si je comprends bien, que c'était en définitive une bonne affaire pour vous.

Elle le regarda sans pouvoir s'empêcher de sourire d'un air malicieux et elle avoua :

— Oui.

***

Le plus curieux, c'est que tout cela se tenait et qu'on avait envie de la croire, tant elle répondait aux questions avec une apparente candeur et une apparente franchise. En observant son visage resté enfantin comme celui de Nelly Verthuis, Maigret comprenait que Nahour l'ait traitée en petite fille et que Vicente Alvaredo soit tombée suffisamment amoureux d'elle pour décider de l'épouser malgré son mari et ses deux enfants.

Il faisait doux dans le salon confortable et feutré et on avait tendance à se laisser aller à une sorte d'enlisement. Lucas lui-même avait l'air d'un gros chat qui ronronne.

— Je me permettrai de vous adresser une remarque, madame Nahour : c'est qu'il n'y a personne pour confirmer vos déclarations. Selon vous, vous étiez trois dans le studio au moment du premier coup de feu.

— Vous avez donc le témoignage de Fouad.

— Malheureusement pour vous, il prétend qu'il n'est rentré à la maison qu'après une heure du matin et il est établi qu'il a quitté un cercle du boulevard Saint-Michel vers cette heure-là.

— Il ment.

— On l'y a vu.

— Et s'il s'y était rendu après le coup de feu ?

— Nous essayerons de vérifier ce point.

— Vous pouvez aussi questionner Nelly.

— Elle ne comprend pas le français, n'est-ce pas ?

Il sentit une légère hésitation et elle répondit indirectement :

— Elle parle l'anglais.

Soudain, le corps massif de Maigret sembla se déplier et, sans bruit, il atteignit la porte de la chambre voisine qu'il ouvrit brusquement. La femme de chambre faillit lui tomber dans les bras et eut toutes les peines à conserver son équilibre.

— Il y a longtemps que vous écoutiez ?

Décontenancée, au bord des larmes, elle

fit non de la tête. Elle avait troqué son tailleur contre une robe de satin noir et un tablier blanc à festons brodés et elle avait un bonnet sur la tête.

— Vous avez compris ce que nous disions ?

Elle fit oui, puis non, appelant du regard sa patronne au secours.

— Elle comprend un peu le français, intervint Lina, mais, chaque fois qu'elle a essayé de le parler, surtout chez les commerçants du quartier, les gens se sont moqués d'elle.

— Avancez, Nelly. Ne restez pas collée au chambranle de la porte. Depuis combien de temps savez-vous que Mme Nahour devait partir vendredi soir pour Amsterdam ?

— *One week*... Une semaine...

— Ce n'est pas vers elle que vous devez vous tourner, mais vers moi.

Elle le fit à regret, mais elle hésitait encore à regarder le commissaire en face.

— A quel moment avez-vous préparé la valise ?

On devinait qu'elle essayait mentalement de traduire sa réponse.

— Huit heures...

— Pourquoi m'avez-vous menti lorsque je vous ai interrogée hier ?

— Je ne sais pas... J'avais peur...

— De quoi ?

— Je ne sais pas.

— Quelqu'un, dans la maison, vous effrayait ?

Elle agita la tête en signe de dénégation et son bonnet se mit de travers sur ses cheveux.

— Vous avez revu Mme Nahour vers dix heures ? Où ?

— Dans chambre.

— Qui a descendu la valise ?

— Je.

— Où est allée votre maîtresse ?

— Studio.

— Avez-vous ensuite entendu un coup de feu ?

— Oui.

— Un ou deux coups ?

Son regard chercha à nouveau Lina et elle répondit.

— Un.

— Vous n'êtes pas descendue ?

— Non ?

— Pourquoi ?

Elle haussa les épaules, comme pour dire qu'elle l'ignorait. Ce n'était pas une des deux femmes qui avait copié l'autre. Chacune d'elles avait pris des traits de la seconde, si bien que maintenant la femme de chambre était un peu comme une réplique brouillée de Lina.

— Vous n'avez pas entendu Ouéni monter chez lui ?

— Non.

— Vous vous êtes endormie tout de suite ?

— Oui.

— Vous n'avez pas essayé de savoir qui était blessé ou mort ?

— Regardé par fenêtre Madame. Entendu la porte et vu Madame et l'auto...

— Je vous remercie. Tout ce que j'espère pour vous c'est que, demain, quand on enregistrera vos déclarations, vous n'apporterez pas une troisième version des faits...

La phrase était visiblement trop longue et trop difficile pour elle et Mme Nahour la traduisit en néerlandais tandis que la jeune fille devenait très rouge et se hâtait de disparaître.

— Ce que je viens de dire, Madame, est valable pour vous aussi. Je n'ai pas voulu, dès aujourd'hui, vous faire subir un interrogatoire officiel. Demain je vous téléphonerai pour prendre rendez-vous. Je viendrai moi-même, ou un de mes inspecteurs viendra, pour prendre note de vos réponses.

— Il y a un troisième témoin, lui lança-t-elle.

— Alvaredo, je sais. Je le verrai en sortant d'ici. Comme je me méfie du téléphone, l'inspecteur Lucas restera dans l'appartement jusqu'à ce que je lève sa consigne.

Elle ne protesta pas.

— Je peux faire monter quelque chose à manger ? Mon amie Anna a toujours faim. C'est une vraie Hollandaise. Moi, je me mets au lit.

— Vous permettez que j'entre un instant dans votre chambre ?

Il y avait un certain désordre, des vêtements jetés en hâte sur le lit, des souliers sur le tapis. L'appareil téléphonique était branché par une mâchoire comme un appareil électrique et Maigret le débrancha, l'emporta au salon, puis il fit de même avec l'appareil qui se trouvait dans la chambre de Nelly.

Celle-ci, qui rangeait du linge dans les tiroirs, lui lança un regard rancunier, comme s'il l'avait grondée.

— Je m'excuse de ces précautions, dit-il en prenant congé des deux jeunes femmes.

Et Lina de répondre avec un sourire :

— C'est votre métier, n'est-ce pas ?

Le portier lui siffla un taxi. On devinait maintenant un pâle soleil derrière les nuages et, dans les jardins du Luxembourg, des enfants faisaient des glissades. Il y en avait même deux ou trois qui avaient apporté leur luge.

Il repéra le bistrot où Janvier devait l'attendre et il trouva en effet l'inspecteur assis non loin de la vitre embuée qu'il essuyait de temps en temps.

— Un demi... commanda-t-il d'une voix lasse.

Cet interrogatoire l'avait exténué et il sentait encore la moiteur du petit salon lui coller au corps.

— Il n'est pas sorti ?

— Non. Je suppose qu'il a déjeuné dans l'avion. Il doit attendre un coup de téléphone.

— Il l'attendra un certain temps.

Maigret aurait pu, comme son collègue d'Amsterdam, faire brancher l'appareil sur la table d'écoute mais, peut-être parce qu'il appartenait à la vieille école, plus probablement à cause de la façon dont il avait été élevé, il répugnait à recourir à ce procédé, sauf lorsqu'il s'agissait de professionnels.

— Lucas est resté à l'hôtel du Louvre. Tu vas me suivre chez ce jeune homme que je ne connais pas encore. Au fait, comment est-il ?

La bière le rafraîchissait et l'aidait à reprendre pied sur terre. C'était bon de revoir un vrai zinc, de la sciure de bois par terre, un garçon en tablier bleu.

— Un très bel homme, d'une élégance nonchalante, l'air un peu distant...

— Il a cherché à savoir s'il était suivi ?

— Pas à ma connaissance.

— Viens.

Ils traversèrent le boulevard et pénétrèrent dans un immeuble cossu où ils prirent l'ascenseur.

— Troisième étage, dit Janvier. Je me suis renseigné. Il y a trois ans qu'il occupe ce studio.

On ne voyait ni plaque ni carte de visite à la porte qui s'ouvrit quelques instants après que Maigret eût sonné. Un homme jeune, très brun, assez grand, prononça avec une exquise politesse :

— Entrez, messieurs... Je vous attendais... Le commissaire Maigret, je suppose ?

Il ne tendait pas la main mais les précédait dans un salon clair, aux meubles et aux tableaux modernes, dont la fenêtre-balcon donnait sur le boulevard.

— Vous ne voulez pas vous débarrasser ?

— Une question, monsieur Alvaredo. Hier, à Amsterdam, Mme Nahour vous a téléphoné pour vous annoncer que son mari était mort. Elle vous a téléphoné une seconde fois l'après-midi pour vous dire quel avion elle prendrait avec son amie. Vous avez quitté Amsterdam ce matin et les journaux hollandais d'hier soir ne pouvaient pas encore parler de l'affaire.

Nonchalant, Alvaredo se tourna vers le canapé où il saisit un journal parisien de la veille.

— Il y a même votre portrait en troisième page, remarqua-t-il avec un sourire narquois.

Les deux hommes se débarrassèrent de leur pardessus.

— Qu'est-ce que je peux vous offrir ?

Sur une table basse se trouvait un assortiment d'alcools et d'apéritifs ainsi que plusieurs verres. Un seul était posé en dehors du plateau et contenait encore un peu de liquide ambré.

— Écoutez-moi bien, monsieur Alvaredo. Avant de vous poser quelques questions, je tiens à vous dire que, dans cette affaire, je me suis trouvé sans cesse en face de gens qui prenaient de grandes libertés avec la vérité.

— Vous parlez de Lina ?

— Elle et d'autres personnes que je n'ai pas à vous citer. Veuillez me dire tout d'abord quand vous avez mis les pieds pour la dernière fois dans la maison des Nahour.

— Permettez-moi, monsieur le Commissaire, de vous répondre que le piège est grossier, excusez le mot, mais je n'en trouve pas d'autre. Vous devez savoir que je n'ai jamais pénétré dans cette maison, pas plus vendredi soir que précédemment.

— A votre connaissance, Nahour était-il au courant de votre liaison avec sa femme ?

— Je l'ignore, étant donné que je ne l'ai aperçu que deux ou trois fois, d'assez loin, et toujours à une table de casino.

— Vous connaissez Fouad ?

— Lina m'en a parlé, mais je ne l'ai jamais rencontré.

— Pourtant vendredi soir, vous ne vous

cachiez pas et vous attendiez, juste en face de la grille, dans une voiture très voyante.

— Nous n'avions plus à nous cacher puisque notre décision était prise et que Lina allait en faire part à son mari.

— Aviez-vous des inquiétudes quant à l'issue de cet entretien ?

— Pourquoi des inquiétudes ? Lina décidant de partir, il ne pouvait la retenir de force.

Il ajouta en révélant une certaine rancœur :

— Nous ne sommes pas dans le Proche-Orient.

— Vous avez entendu le coup de feu ?

— J'ai entendu un bruit sourd que je n'ai pas tout de suite situé. L'instant plus tard, la porte s'ouvrait et Lina, qui avait de la peine à traîner sa valise, se précipitait vers le trottoir. J'ai eu juste le temps de lui ouvrir la portière. Elle paraissait exténuée. Ce n'est qu'en chemin qu'elle m'a tout raconté...

— Vous connaissiez le docteur Pardon ?

— Je n'en avais jamais entendu parler. C'est elle qui m'a donné son adresse.

— Vous comptiez toujours vous rendre à Amsterdam en voiture ?

— J'ignorais la gravité de la blessure. Elle saignait beaucoup. J'étais angoissé...

— Ce qui ne vous a pas empêché de mentir au médecin.

— Je jugeais plus prudent de ne pas lui dire la vérité.

— Puis de quitter son bureau sans bruit...

— Afin qu'il ne puisse noter le nom deLina et le mien.

— Vous saviez que Nahour gardait une arme dans le tiroir de son bureau?

— Lina ne m'en avait pas parlé.

— Elle avait peur de son mari?

— Ce n'était pas un homme de qui on puisse avoir peur.

— Et Ouéni?

— Elle m'a fort peu parlé de lui.

— Il jouait pourtant un rôle important dans la maison.

— Auprès de son maître, peut-être, mais il n'avait rien à voir avec Lina.

— Vous en êtes sûr?

Soudain le sang jaillit aux joues et aux oreilles d'Alvaredo qui répliqua, les dents serrées par la colère :

— Que voulez-vous insinuer?

— Je n'insinuais rien, sinon que Fouad, par son influence sur Nahour, pouvait en exercer indirectement une sur le destin de Mme Nahour.

Le jeune homme se calmait, gêné de s'être laissé emporter.

— Vous êtes très passionné, monsieur Alvaredo.

— J'aime... laissa-t-il tomber sèchement.

— Puis-je vous demander depuis combien de temps vous êtes à Paris?

— Trois ans et demi.

— Vous êtes étudiant?

— J'ai fait mon Droit à Bogota. Je suis venu ici pour suivre des cours à l'Institut de Droit comparé... En même temps, je travaille comme volontaire chez Maître Puget, boulevard Raspail, à deux pas d'ici, qui est professeur de Droit International...

— Vos parents sont riches ?

Il répondit avec l'air de s'en excuser :

— Pour Bogota, oui.

— Vous êtes enfant unique ?

— J'ai un frère plus jeune qui est à Berkeley, aux États-Unis...

— Vos parents sont catholiques comme la plupart des Colombiens, si je ne me trompe ?

— Ma mère est plutôt dévote.

— Vous comptez emmener Mme Nahour à Bogota ?

— C'est mon intention.

— Vous ne vous attendez pas à certains heurts avec votre famille en épousant une divorcée ?

— Je suis majeur.

— Vous me permettez d'user de votre téléphone ?

Maigret appela l'hôtel du Louvre.

— Lucas ?... Tu peux les laisser en paix... Reste cependant dans l'hôtel... Je te ferai relayer en fin d'après-midi...

Alvaredo eut un sourire amer.

— Vous avez laissé un de vos hommes dans la chambre de Lina pour l'empêcher de me téléphoner, n'est-ce pas ?

— Je suis désolé d'avoir à prendre ces précautions.

— Je suppose que votre inspecteur va me surveiller aussi ?

— Je ne vous le cache pas.

— J'ai le droit d'aller la voir ?

— Je n'y vois plus d'inconvénient.

— Le voyage ne l'a pas trop éprouvée ?

— Assez peu pour qu'elle n'ait rien perdu de son sang-froid ni de son agilité d'esprit.

— C'est une enfant.

— Une enfant très habile.

— Vous ne voulez toujours rien boire ?

— Je préfère refuser.

— Ce qui signifie que vous me considérez encore comme suspect ?

— C'est mon métier de considérer chacun comme suspect.

Sur le trottoir, il soupira, s'emplit les poumons d'air.

— Et voilà !

— Vous croyez qu'il vous a menti, patron ?

Sans répondre, Maigret continua :

— Tu peux prendre place dans l'auto. Il ne se passera guère de temps avant que cette voiture rouge ne s'élance vers la rue de Rivoli. Bon après-midi... Tiens le Quai au courant, afin qu'on te relaie...

— Et vous ?

— Je retourne avenue du Parc-Montsouris. Demain, il faudra qu'on s'y mette à quelques-uns pour recommencer tous ces interrogatoires d'une façon plus officielle.

Les mains dans les poches, il se dirigea vers la station de taxi, au coin du boulevard Saint-Michel, pestant contre l'écharpe tricotée qui l'engonçait et lui chatouillait le cou.

De l'extérieur, la maison des Nahour paraissait vide. Le commissaire demanda au chauffeur de l'attendre, traversa le jardinet où la neige craquait sous ses pas, poussa le bouton de sonnerie.

Un Torrence endormi vint lui ouvrir en bâillant.

— Rien de nouveau ?

— Le père est arrivé. Il est dans le bureau avec son fils.

— Comment est-il ?

— Un homme d'environ soixante-quinze ans, aux cheveux blancs très drus, au visage ridé qui n'en respire pas moins l'énergie.

La porte du studio s'entrouvrait et Pierre Nahour, reconnaissant Maigret, lui demandait :

— Vous avez besoin de moi, monsieur le Commissaire ?

— Je désirerais voir Ouéni.

— Il est là-haut.

— Votre père l'a rencontré ?

— Pas encore. Sans doute, tout à l'heure, aura-t-il un certain nombre de questions à lui poser.

Maigret accrocha son pardessus, son écharpe et son chapeau au porte-manteau et s'engagea dans l'escalier. Le couloir était sombre. Il se dirigea vers la chambre de Fouad, frappa et reçut une réponse en arabe.

Quand il poussa le battant, il trouva Ouéni assis dans un fauteuil. Il ne lisait pas. Il ne faisait rien. Il tourna vers Maigret un regard parfaitement dénué d'expression.

— Vous pouvez entrer... Qu'est-ce qu'ils vous ont raconté ?...

CHAPITRE

6

C'ÉTAIT LA CHAMBRE la plus simple, la plus rustique de la maison. Sans doute le peintre qui l'avait louée meublée aux Nahour avait-il un fils adolescent, car la pièce qu'occupait Ouéni ressemblait à une chambre d'étudiant. Le secrétaire, apparemment, n'y avait rien changé et on n'y voyait aucun objet personnel.

L'homme, dans son fauteuil de cuir, les jambes allongées, dans une attitude de complète détente, était vêtu aussi strictement que la veille d'un complet sombre de coupe excellente. Il était rasé de près. Son linge était très blanc et ses ongles manucurés.

Sans paraître remarquer son attitude insolente, Maigret se campa devant lui et le regarda bien en face, comme pour le jauger, et tous les deux faisaient penser ainsi aux enfants qui jouent à qui cillera le premier.

— Vous n'êtes pas très coopératif, monsieur Ouéni.

On ne lisait aucune inquiétude sur le visage du secrétaire. On aurait plutôt dit qu'il prenait plaisir à narguer Maigret de son sourire plein d'assurance et d'ironie.

— Lina...

Fouad souligna cette familiarité.

— Pardon ?

— Mme Nahour, si vous préférez, n'est pas tout à fait d'accord avec votre emploi du temps de vendredi soir. Elle prétend que, lorsqu'elle a pénétré dans le studio, vers minuit, vous vous y trouviez en compagnie de M. Nahour. Elle précise que vous vous teniez debout à côté de celui-ci, qui était lui-même assis à son bureau.

Maigret attendait une réplique qui ne venait pas et Fouad continuait de sourire.

— C'est sa parole contre la mienne, n'est-ce pas ? finit-il par articuler.

Tout au long de cet entretien, il allait parler avec la même lenteur calculée, en détachant les syllabes.

— Vous niez ?

— Jai répondu hier à vos questions.

— Cela ne signifie pas que vous m'ayez dit la vérité.

Ses doigts se crispèrent sur les bras du fauteuil, comme s'il réagissait à ce qu'il considérait comme une insulte. Il se domina néanmoins et resta silencieux.

Le commissaire marcha jusqu'à la fenêtre devant laquelle il resta un bon moment campé, puis, les mains derrière le dos, la pipe à la bouche, il arpenta la chambre.

— Vous prétendez être sorti, peu après une

heure du matin, du bar des Tilleuls, ce que confirme le patron... Par contre, il ignore à quelle heure vous y êtes entré... Rien ne prouve, jusqu'à présent, que ce n'était pas après minuit et que vous n'avez fait qu'entrer et sortir pour vous créer un alibi.

— Vous avez interrogé tous les membres du cercle qui se trouvaient cette nuit-là dans les deux salles de jeux ?

— Vous savez fort bien que nous n'avons pas encore eu l'occasion de le faire et qu'aujourd'hui dimanche le cercle et le bar sont fermés.

— Vous avez tout le temps. Moi aussi.

Avait-il choisi cette attitude dans le but de mettre Maigret hors de ses gonds ? Il avait la froideur, l'absence de nervosité d'un joueur d'échecs et il devait être difficile de le prendre en défaut.

S'arrêtant à nouveau devant lui, le commissaire demandait sur un ton anodin :

— Vous avez été marié, monsieur Ouéni ?

Et celui-ci de répondre par une sentence qui était peut-être un proverbe de son pays :

— Celui qui ne se contente pas des plaisirs qu'une femme peut lui donner en une nuit s'attache la corde au cou.

— C'est le cas de M. Nahour, par exemple ?

— Sa vie privée ne me concerne pas.

— Vous avez des maîtresses ?

— Je ne suis pas pédéraste, si c'est cela que vous cherchez à savoir.

Cette fois, son mépris était encore plus évident.

— Cela signifie, je suppose, qu'il vous

arrive parfois d'avoir des relations avec une femme ?

— Si la justice française est à ce point curieuse, je lui fournirai des noms et des adresses.

— Ce ne serait pas une femme que vous êtes allé voir vendredi soir ?

— Non. Je vous ai répondu.

Maigret retourna vers la fenêtre et regarda vaguement l'avenue du Parc-Montsouris, couverte de neige, où, malgré le froid, on apercevait quelques promeneurs du dimanche.

— Vous possédez une arme, monsieur Ouéni ?

Celui-ci se leva lentement, quittant son fauteuil comme à regret, ouvrit un tiroir de la commode et en sortit un long pistolet de précision. Ce n'était pas un objet qui se porte dans la poche, mais une arme d'entraînement dont le canon mesurait au moins vingt centimètres et dont le calibre ne correspondait pas avec la balle retirée de la boîte crânienne de Nahour.

— Vous êtes satisfait ?

— Non.

— Vous avez posé la même question à M. Alvaredo ?

Ce fut au tour de Maigret de ne pas répondre. Cet interrogatoire se déroulait au ralenti, toujours comme une partie d'échecs, chacun des deux hommes préparant avec soin ses feintes et ses ripostes.

Le visage du commissaire était grave. Il tirait de longues bouffées de sa pipe dont le tabac grésillait. Le silence les entourait ;

aucun bruit ne leur parvenait de l'univers ouaté du dehors.

— Vous saviez que Mme Nahour essayait, depuis près de deux ans, d'obtenir le divorce ?

— Je vous ai dit que ces questions ne me concernent pas.

— Il n'en est pas moins vraisemblable que M. Nahour, étant donné l'intimité de vos relations, vous en ait parlé ?

— Vous l'affirmez.

— Je n'affirme rien. Je questionne et c'est vous qui ne répondez pas.

— Je réponds aux questions qui me regardent.

— Saviez-vous aussi que Mme Nahour avait projeté, depuis plus d'une semaine, ce voyage à Amsterdam, qui devait marquer sa séparation définitive d'avec son mari ?

— Même observation.

— Vous prétendez toujours ne pas vous être trouvé dans cette pièce au moment du drame ?

Fouad haussa les épaules, considérant la question comme superflue.

— Vous connaissiez Nahour depuis une vingtaine d'années. Vous ne l'avez pratiquement pas quitté pendant ce temps. Il est devenu un joueur professionnel, ce qu'on pourrait appeler un joueur scientifique, et vous l'aidiez dans les calculs auxquels il se livrait.

Ouéni, qui n'avait pas l'air d'écouter, avait repris place dans son fauteuil. Maigret, saisissant une chaise par le dossier, s'y assit à califourchon à moins d'un mètre de lui.

— Vous êtes arrivé pauvre à Paris, n'est-ce pas ? Combien Nahour vous payait-il ?

— Je n'ai jamais été un salarié.

— Vous n'en aviez pas moins besoin d'argent.

— Quand c'était le cas, il m'en donnait.

— Vous possédez un compte en banque ?

— Non.

— Combien vous donnait-il à la fois ?

— Ce que je lui demandais.

— De fortes sommes ? Vous avez des économies ?

— Je n'ai jamais possédé que mes vêtements.

— Étiez-vous aussi bon joueur que lui, monsieur Ouéni ?

— Ce n'est pas à moi d'en juger.

— Il n'a jamais proposé que vous le remplaciez à une table de roulette ou de baccara ?

— C'est arrivé.

— Vous avez gagné ?

— J'ai perdu et j'ai gagné.

— Vous avez conservé les profits ?

— Non.

— Il n'a pas été question d'une association entre vous ? Par exemple, il aurait pu vous remettre un pourcentage sur les sommes qu'il encaissait.

Il se contenta d'un signe négatif.

— Vous n'étiez donc ni son associé, ni son égal, puisque vous dépendiez entièrement de lui. Ce qui revient à dire que vos relations étaient malgré tout celles de maître à serviteur. N'avez-vous pas craint, lorsqu'il s'est marié, que ces relations ne deviennent moins étroites ?

— Non.

— Nahour n'aimait pas sa femme ?

— C'est à lui qu'il aurait fallu le demander.

— Il est un peu tard à présent. Depuis combien de temps savez-vous que Mme Nahour a un amant ?

— Je devrais être au courant ?

S'il croyait mettre Maigret en colère, il en était pour ses frais car le commissaire avait rarement été aussi maître de lui.

— Vous ne pouvez pas ignorer que, depuis deux ans, les relations, déjà peu intimes, entre les époux, s'étaient détériorées. Vous étiez au courant aussi de l'insistance avec laquelle Mme Nahour réclamait le divorce. Est-ce vous qui l'avez suivie et qui avez mis votre maître au courant de ses relations avec Alvaredo ?

Un sourire plus méprisant que jamais.

— Il les a rencontrés lui-même au sortir d'un restaurant du Palais-Royal. Ils ne se cachaient pas.

— Nahour a été furieux ?

— Je ne l'ai jamais vu furieux.

— Pourtant, bien qu'il n'eût plus de rapports avec sa femme, et qu'il sût que celle-ci en aimait un autre, il l'obligeait à vivre sous son toit. N'était-ce pas une sorte de vengeance ?

— Peut-être.

— Et n'est-ce pas à la suite de cette découverte qu'il l'a séparée de ses enfants en envoyant ceux-ci dans le Midi ?

— Je ne lis pas, comme vous, dans la pensée des gens, morts ou vivants.

— Je suis persuadé, monsieur Ouéni, que Mme Nahour ne ment pas quand elle prétend que vous étiez en compagnie de son mari vendredi soir. Je serais même enclin à croire que vous étiez au courant du voyage qu'elle projetait et que vous en connaissiez la date.

— Je ne peux pas vous en empêcher.

— Son mari la haïssait...

— N'était-ce pas elle qui le haïssait?

— Mettons qu'ils se haïssaient mutuellement. Elle avait décidé de reprendre sa liberté coûte que coûte...

— Coûte que coûte, justement.

— Vous accusez Mme Nahour d'avoir tué son mari ?

— Non.

— Vous vous accusez vous-même?

— Non.

— Alors ?

Avec une lenteur calculée, Ouéni articula :

— Une personne est intéressée à cette affaire.

— Alvaredo ?

— Où était-il ?

— Dans sa voiture, devant la porte.

C'était au tour de Fouad de mener l'interrogatoire, de poser des questions.

— Vous y croyez ?

— Jusqu'à preuve du contraire.

— C'est un jeune homme très amoureux, non ?

Maigret le laissait parler, curieux de voir où il voulait en arriver.

— Probablement.

— Très passionné ? N'avez-vous pas dit

qu'il est depuis deux ans l'amant de Mme Nahour ? Ses parents accueilleront très mal une divorcée avec deux enfants. Qu'il prenne ce risque ne présume-t-il pas ce qu'on appelle un grand amour ?

Soudain ses yeux devinrent cruels, sa bouche sarcastique.

— Il savait, poursuivit-il, toujours aussi immobile au fond de son fauteuil, quelle partie décisive se jouait ce soir-là. Vous êtes d'accord ?

— Oui.

— Dites-moi, monsieur Maigret, à sa place et dans son état d'esprit de vendredi soir, auriez-vous laissé votre maîtresse affronter un mari obstiné ? Croyez-vous vraiment qu'il ait attendu près d'une heure dehors sans s'inquiéter un instant de ce qui se passait dans la maison ?

— Vous l'avez vu ?

— Ne me tendez pas de pièges si grossiers. Je n'ai rien vu, puisque je n'étais pas ici. Je vous démontre seulement que la présence de cet homme dans le studio est beaucoump plus plausible que la mienne.

Maigret se leva, soudain détendu, comme si on en était enfin arrivé là où il voulait en venir.

— Il y avait un minimum de deux personnes dans la pièce, dit-il d'un ton plus léger : Nahour et sa femme. Cela supposerait que Mme Nahour était armée d'un pistolet de fort calibre difficile à cacher dans un sac à main. Il faudrait aussi que Nahour ait tiré le premier et qu'elle l'ait ensuite abattu.

— Pas nécessairement. Elle a pu tirer la première, alors que son mari tenait l'arme à la main pour se défendre, et il n'est pas impossible qu'il ait pressé machinalement la gâchette en s'effondrant, ce qui expliquerait le manque de précision.

— Peu importe, pour le moment, qui a tiré le premier. Supposons que vous ayez été présent. Mme Nahour sort un pistolet de son sac et, pour défendre votre patron, vous tirez dans sa direction, car vous vous trouvez près du tiroir où se trouve le 6.35.

— Ce qui indiquerait qu'elle tire à son tour, non sur moi, qui suis armé, et qui peux donc l'atteindre à nouveau, mais sur son mari?

— Admettons à présent que vous détestiez celui que vous appelez M. Félix...

— Pour quelle raison?

— Vous êtes, depuis vingt ans, comme le parent pauvre, sans même qu'il existe une parenté réelle. Vous n'avez aucun titre, mais vous vous occupez de toutes les besognes, y compris servir les œufs à la coque du matin. Vous n'êtes pas payé. On vous remet de petites sommes, de l'argent de poche, en somme, quand vous en avez besoin.

» J'ignore si le fait que vous n'êtes pas de même race joue un rôle ou non. Toujours est-il que votre situation a quelque chose d'humiliant et que rien n'attise la haine comme l'humiliation.

» L'occasion se présente de vous venger. Nahour tire sur sa femme au moment où celle-ci se dirige vers la porte pour ne plus revenir. Vous tirez à votre tour, non sur elle, mais sur lui, sachant bien que ce sera elle ou son amant qui sera accusé, après quoi il ne vous reste qu'à vous créer un alibi au cercle Saint-Michel.

» Nous avons un moyen, monsieur Fouad, d'établir d'ici une heure s'il en est ainsi. Je vais téléphoner à Moers, un des meilleurs techniciens de l'Identité Judiciaire. S'il n'est pas au Quai, je le trouverai chez lui. Il apportera le nécessaire pour pratiquer le test de la paraffine, auquel on a procédé sur M. Nahour, et nous apprendrons ainsi si vous vous êtes servi d'une arme à feu. »

Ouéni ne broncha pas. Au contraire, son sourire se fit plus ironique que jamais.

Comme Maigret se dirigeait vers le téléphone, il l'arrêta.

— C'est inutile.

— Vous avouez ?

— Vous savez comme moi, monsieur Maigret, que le test peut révéler des incrustations de poudre dans la peau jusqu'à cinq jours après qu'un coup de feu a été tiré.

— Vous avez des connaissances aussi variées qu'étendues.

— Jeudi, je me suis rendu, comme cela m'arrive fréquemment, au stand de tir installé dans le sous-sol d'un magasin d'armurerie, Boutelleau et fils, rue de Rennes.

— Avec votre pistolet ?

— Non. J'en possède un second, tout pareil, que je laisse là-bas, comme beaucoup d'habitués. Il est donc probable que vous trouverez des incrustations de poudre sur ma main droite.

— Pourquoi vous entraînez-vous au tir ?
Maigret était dépité.

— Parce que j'appartiens à une tribu qui vit armée d'un bout de l'année à l'autre et qui prétend compter les meilleurs tireurs du monde. Les garçons, dès dix ans, manient le fusil.

Maigret releva lentement la tête.

— Et si nous ne relevions de traces de poudre ni sur la main d'Alvaredo, ni sur celle de Mme Nahour ?

— Alvaredo venait du dehors, où la température était de 12° sous zéro. On peut en déduire qu'il portait des gants, et même des gants assez épais. Vous ne vous en êtes pas assuré ?

Il se voulait injurieux.

— Je m'excuse d'avoir à faire votre métier. Mme Nahour s'apprêtait à partir. Je suppose qu'elle était en manteau et il est vraisemblable qu'elle avait déjà enfilé ses gants.

— C'est votre défense ?

— Je croyais n'avoir pas besoin de défense jusqu'à ce que le juge d'instruction m'inculpe.

— Je vous prie de vous présenter demain à dix heures au quai des Orfèvres, où l'on procédera à votre interrogatoire officiel. Peut-être, ensuite, le magistrat que vous évoquez éprouvera-t-il le désir de vous interroger à son tour.

— Et d'ici là ?

— Je vous prie de ne pas quitter cette maison, où un de mes inspecteurs continuera à vous surveiller.

— J'ai beaucoup de patience, monsieur Maigret.

— Moi aussi, monsieur Ouéni.

Maigret n'en avait pas moins les joues colorées en sortant de la chambre, mais c'était peut-être à cause de la chaleur. Dans le couloir, il adressa un signe amical à Torrence qui lisait un magazine, assis sur une chaise trop raide, puis il frappa à la porte du studio.

— Entrez, monsieur Maigret.

Les deux hommes se levèrent. Le plus âgé, qui fumait un cigare, s'avança vers le commissaire à qui il tendit une main sèche et vigoureuse.

— J'aurais préféré vous rencontrer dans d'autres circonstances, monsieur Maigret.

— Permettez-moi de vous présenter mes condoléances. Je ne voulais pas quitter la maison sans vous dire que nous mettons tout en œuvre, à la P.J. et au Parquet, pour découvrir l'assassin de votre fils.

— Vous avez une piste ?

— Je n'irai pas jusqu'à employer ce mot, mais le rôle de chacun des personnages mêlés à l'affaire commence à se dessiner.

— Vous croyez que Félix a tiré sur cette femme ?

— Cela paraît indiscutable, soit qu'il ait pressé volontairement la gâchette, soit qu'il l'ait fait par réflexe au moment où il était lui-même atteint.

Le père et le fils se regardèrent avec surprise.

— Vous croyez que cette femme, qui l'a tant fait souffrir, a en fin de compte...

— Je ne suis pas encore en mesure d'accuser qui que ce soit. Bonsoir, messieurs.

— Je reste ? questionna Torrence un peu plus tard, dans le corridor.

— Fouad ne doit pas sortir. Je préférerais te savoir au premier étage et être averti des coups de téléphone qu'il pourrait donner. Je ne sais pas encore qui viendra te relayer.

Le chauffeur de taxi grommela :

— Il me semblait que vous ne deviez rester que quelques minutes !

— Hôtel du Louvre.

— Là, par exemple, je ne vous attendrai pas. J'ai pris mon service à onze heures et je n'ai pas encore eu le temps de croûter.

La nuit commençait à tomber. Le chauffeur avait dû faire tourner de temps en temps son moteur car, à l'intérieur du taxi, l'air était chaud.

Maigret, blotti dans son coin de banquette, regardait d'un œil vague les silhouettes noires et frileuses qui se glissaient le long des maisons et, en fin de compte, il n'était pas sûr d'être satisfait de lui.

*
* *

Lucas sommeillait, les mains sur le ventre, dans un des fauteuils monumentaux du hall quand, à travers ses paupières mi, closes il aperçut la silhouette du commissaire qui s'avançait vers lui. D'un bond, il fut sur pied, et il questionna en se frottant les yeux :

— Ça va, patron ?

— Oui... Non... Alverado est arrivé ?

— Pas encore... Aucune des dames n'est sortie... Une seule, l'amie, est descendue pour acheter des journaux et des magazines au fond du hall...

Maigret hésita, puis grogna :

— Tu as soif ?

— J'ai pris un verre de bière il y a un quart d'heure...

Maigret se dirigea seul vers le bar, laissa son pardessus, son chapeau et son écharpe au vestiaire, posa une fesse sur un des hauts tabourets. Il n'y avait personne autour de lui, sinon un remplaçant du barman qui écoutait à la radio le compte rendu d'un match de football.

— Un whisky... finit-il par commander.

Il en avait besoin avant la besogne qu'il avait décidé d'entreprendre. Où avait-il lu la maxime : toujours attaquer au point de moindre résistance ?

Il y avait pensé en chemin, dans le taxi. Quatre personnes connaissaient la vérité, ou une partie de la vérité, sur l'affaire Nahour. Il les avait questionnées toutes les quatre, certaines à deux reprises. Toutes avaient menti, au moins sur un point, quand ce n'était pas sur plusieurs.

Qui, parmi ces quatre, était susceptible d'offrir la moindre résistance ?

Un moment, il avait penché pour Nelly Verthuis, dont la naïveté ne pouvait être entièrement feinte, mais, justement parce qu'elle ne se rendait pas compte de la gravité de ses mensonges, elle risquait de lui raconter n'importe quoi.

Alvaredo, lui, était en somme assez sympathique. C'était un ardent. Son amour pour Lina paraissait sincère, voire un peu trop exalté, de sorte qu'il tairait jusqu'au bout ce qui pourrait nuire à la jeune femme.

Maigret quittait à peine Ouéni, assez fort pour prévoir et pour déjouer tous les pièges.

Restait Lina, sur le compte de qui il hésitait encore à se faire une opinion. À première vue, c'était une enfant qui se débattait parmi les grandes personnes sans savoir où donner de la tête.

Petite dactylo à Amsterdam, elle avait été tentée par le rôle plus prestigieux de mannequin avant de s'inscrire étourdiment à un concours de beauté.

Or, le miracle s'était produit et la jeune fille, du jour au lendemain, s'était retrouvée dans un milieu totalement étranger.

Un homme riche, jouant chaque nuit gros jeu et salué bas par le personnel du casino, lui envoyait des fleurs, l'invitait à dîner dans les meilleurs restaurants sans rien en exiger en échange.

Il l'emmenait à Biarritz, toujours discret, et, quand enfin, une nuit, il se risquait à pénétrer dans sa chambre, il proposait aussitôt de l'épouser.

Commment aurait-elle pu comprendre la psychologie d'un Nahour ?

A plus forte raison celle d'un Fouad Ouéni qui, sans raison apparente, suivait le couple partout ?

Quand elle avait désiré auprès d'elle une femme de chambre hollandaise, c'était un peu comme si elle avait appelé au secours et elle avait choisi — sur photographie ? — la candidate la plus candide et la plus gaie.

Elle avait eu des robes, des bijoux, des fourrures, mais à Deauville, à Cannes, à Évian, partout où on la traînait sans lui demander son avis, elle était seule et, de temps en temps, elle se rendait à Amsterdam pour bavarder à cœur ouvert avec Anna Keegel comme au temps où les deux jeunes filles partageaient l'appartement de Lomanstraat.

Elle avait eu un enfant. Était-elle préparée à la maternité ? Était-ce par crainte que cette responsabilité lui soit trop lourde que Nahour avait fait appel à une nurse ?

Avait-elle eu, dès cette époque, des amants, des aventures ?

Les années passaient et ses traits restaient aussi jeunes, sa peau aussi claire et aussi lisse. Mais son esprit ? Avait-elle appris quelque chose ?

Un autre enfant, un fils, donnait enfin satisfaction à son mari, qui ne s'était rapproché d'elle que pendant un temps assez court.

Elle rencontrait Alvaredo... Sa vie, soudain, prenait une autre couleur...

Maigret était prêt à s'apitoyer, puis se répondait à lui-même :

— Ce n'en est pas moins la petite fille aux yeux innocents qui a créé le drame...

Et qui, depuis le vendredi soir, s'était comportée avec un sang-froid, surprenant.

Il faillit commander un autre whisky, décida que non et, quelques instants plus tard, il atteignait en ascenseur le quatrième étage. Nelly lui ouvrit la porte du salon.

— Mme Nahour dort ?

— Non. Elle prend son thé.

— Veuillez lui dire que je désire la voir.

Il la trouva assise dans son lit, une liseuse en soie blanche sur les épaules, parcourant un magazine anglais ou américain. Le thé et des tranches de cake étaient servis sur la table de nuit et Anna Keegel, qui devait être étendue sur le second lit à l'arrivée du commissaire, se lissait les cheveux et se composait une attitude.

— J'aimerais vous parler en tête à tête, madame Nahour.

— Anna ne peut pas rester ? Je ne lui ai jamais rien caché et...

— Mettons que c'est moi que sa présence gênerait.

C'était presque vrai. La porte refermée, Maigret apporta une chaise entre les deux lits et il s'y assit gauchement.

— Vous avez vu Vicente ? Il ne se tracasse pas trop à mon sujet ?

— Je l'ai rassuré sur votre état et, d'ailleurs, vous l'avez fait vous-même par téléphone. Je suppose que vous l'attendez ?

— Dans une demi-heure. Je lui ai donné rendez-vous à cinq heures et demie, car je comptais dormir plus longtemps. Comment le trouvez-vous ?

— Il m'a paru très amoureux. C'est justement à son sujet que j'ai une première question à vous poser, madame Nahour. Je comprends que vous fassiez l'impossible pour le tenir en dehors de cette affaire et pour que son nom ne soit pas prononcé, ce qui rendrait ses relations futures et les vôtres avec ses parents plus difficiles.

» De mon côté, je lui éviterai, dans la mesure du possible, toute publicité.

» Mais un détail me chiffonne. Vous m'avez déclaré que, le vendredi soir, il est resté dans la voiture tout le temps que vous avez passé dans la maison, c'est-à-dire environ une heure.

» Il connaissait votre décision. Il n'ignorait pas que votre mari refusait d'entendre parler de divorce. Il pouvait donc s'attendre à une entrevue houleuse, dramatique. Comment, dans ces conditions, vous a-t-il laissée seule au lieu de prendre ses responsabilités ? »

Pendant qu'il parlait, elle se mordillait la lèvre inférieure.

— C'est la vérité, se contenta-t-elle de répondre.

— Ouéni est d'un autre avis.

— Qu'est-ce qu'il vous a dit ?

— Qu'Alvaredo était entré dans le Studio en même temps que vous et il a ajouté un détail : votre compagnon portait de gros gants d'hiver. Toujours selon Ouéni, quand votre mari a tiré, c'est Alvaredo qui a sorti un pistolet de sa poche et qui a tiré à son tour.

— Ouéni ment.

— Je serai tenté de croire que vous avez d'abord discuté âprement, votre mari et vous, tandis qu'Alvaredo se tenait discrètement près de la porte. Lorsque Nahour a compris que votre décision était irrévocable, il vous a menacée, après avoir saisi le 6.35 dans le tiroir. Votre ami, croyant qu'il allait tirer, l'a fait le premier, pour vous protéger, et Nahour, en tombant, a pressé la gâchette.

— Cela ne s'est pas passé ainsi.

— Corrigez-moi.

— Je vous l'ai déjà dit. D'abord, si Vicente est resté dans la voiture, c'est parce que je l'ai exigé. Je l'ai même menacé de ne pas le suivre s'il pénétrait dans la maison.

— Votre mari était assis à son bureau ?

— Oui.

— Et Ouéni ?

— Debout à sa droite.

— Donc, devant le tiroir au revolver.

— Je crois...

— Vous croyez ou vous en êtes sûre ?

— J'en suis sûre.

— Ouéni n'a pas fait mine de sortir de la pièce ?

— Il a changé de place, mais il n'est pas sorti.

— Dans quelle direction s'est-il dirigé ?

— Vers le centre.

— Avant que vous parliez, ou après vos premières phrases ?

— Après.

— Vous ne l'aimez pas, m'avez-vous avoué. Pourquoi n'avez-vous pas demandé à votre mari de le faire sortir ?

— Félix aurait refusé. En outre, au point où j'en étais, cela m'était égal.

— Quelle a été votre première phrase ?

— J'ai dit :

« — Voilà ! J'ai pris ma décision et elle est irrévocable. Je pars... »

— Vous parliez le français ?

— L'anglais. J'ai appris cette langue alors que j'étais toute jeune tandis que je ne me suis mise au français que beaucoup plus tard.

— Qu'a répondu votre mari ?

« — Avec ton amant ? C'est lui qui attend dans la voiture ? »

— Comment Nahour était-il à ce moment-là ?

— Très pâle, les traits durs. Il s'est levé lentement et je crois que c'est alors qu'il a entrouvert le tiroir, mais je ne connaissais pas encore son intention. J'ai ajouté que je ne lui en voulais pas, que je le remerciais de ce qu'il avait fait pour moi, que je lui laissais le soin de décider de la garde des enfants et que mon avocat se mettrait en rapport avec lui...

— Où était Ouéni ?

— Je ne m'occupais pas de lui. Pas loin de moi, je suppose. Il ne fait jamais beaucoup de bruit.

— C'est alors que votre mari a tiré ?

— Non. Pas encore. Il m'a répété ce qu'il m'avait souvent dit, qu'il n'accepterait à aucun prix le divorce. J'ai répondu qu'il y serait obligé. Alors seulement je me suis rendu compte qu'il avait une arme à la main...

— Ensuite ?

Maigret était un peu penché vers elle, comme pour l'empêcher de s'échapper une fois de plus.

— Les deux...

Elle se reprit :

— Le coup de feu a éclaté.

— Non. Les deux coups de feu, comme

vous avez été sur le point de le dire. Je suis persuadé qu'Avaredo était dans le studio, mais que ce n'est pas lui qui a tiré.

— Vous croyez que c'est moi?

— Vous non plus. Ouéni a sorti l'arme de sa poche avant ou après que votre mari eut tiré...

— Pendant que j'étais dans la maison, il n'y a eu qu'un seul coup de feu, Nelly vous le confirmera.

— Nelly ment presque aussi bien que vous, mon petit.

Cette fois, c'était un Maigret presque menaçant qui se levait. Il avait fini de jouer. Après avoir remis sa chaise dans un coin du salon, il arpentait celui-ci à grands pas et Lina ne reconnaissait pas l'homme qui, un peu auparavant, lui apparaissait sous un jour presque paternel.

— Il faudra bien qu'à un moment donné, et le plus tôt sera le mieux, vous cessiez de mentir. Sinon, je téléphone sans plus attendre au juge d'instruction pour lui demander un mandat d'arrêt.

— Pourquoi Ouéni aurait-il tiré sur mon mari?

— Parce qu'il vous aimait.

— Lui? Fouad, aimer quelqu'un?

— Ne faites pas l'innocente, Lina. Après votre première rencontre avec Nahour, combien de temps a-t-il fallu à Ouéni pour devenir votre amant?

— Il vous l'a dit?

— Peu importe. Répondez...

— Plusieurs mois après mon mariage... Je

ne m'y attendais pas... Je ne l'avais jamais vu en compagnie d'une femme... Il avait l'air de les mépriser...

— Vous vous êtes mis dans la tête de l'émoustiller ?

— C'est ce que vous pensez de moi ?

— Je le regrette. Peu importe, d'ailleurs, si c'est lui qui a commencé. Jusqu'alors, Nahour lui avait en quelque sorte appartenu. Et voilà qu'il lui échappait en partie, à cause de vous. En devenant votre amant, il se vengeait de toutes les humiliations passées et futures.

Elle devenait presque laide, tout à coup. Les traits de son visage s'effaçaient tandis qu'elle pleurait sans songer à essuyer ses larmes.

— Comme, dans les hôtels et les villas où vous viviez successivement, votre mari et vous faisiez chambre à part, il était facile à Ouéni de vous retrouver la nuit. Avenue du Parc-Montsouris...

— Il ne s'y est jamais rien passé...

Elle était réellement en détresse et elle le regardait avec de pauvres yeux suppliants.

— Je vous le jure ! Quand, avec Alvaredo, c'est devenu sérieux...

— C'est-à-dire ?

— Quand j'ai compris qu'il m'aimait vraiment et que je l'aimais, j'ai cessé toutes relations avec Fouad.

— Qui a accepté cette rupture ?

— Il a essayé, par tous les moyens, une fois même par la force, de me faire reprendre nos relations...

— Il y a combien de temps ?
— Un an et demi à peu près.
— Vous saviez qu'il vous aimait toujours ?
— Oui.
— En parlant ce soir-là à votre mari en sa présence, n'était-ce pas retourner le fer dans la plaie ?
— Je n'y ai pas pensé.
— S'il s'est approché de vous, dès le début de l'entrevue, ne cherchait-il pas à vous protéger ?
— Je ne me le suis pas demandé. A la fin, j'ignore même où il était.
— Les deux coups de feu ont été presque simultanés ?
Elle ne répondit pas. Elle était visiblement lasse et ne jouait plus la comédie. Ses épaules s'étaient enfoncées dans les oreillers et son corps était recroquevillé sous la couverture.
— Pourquoi n'avez-vous pas dit la vérité dès votre premier interrogatoire ?
— Quelle vérité ?
— Au sujet du coup de feu tiré par Fouad.
Elle répondit très bas :
— Parce que je ne voulais pas queVicente sache...
— Sache quoi ?
— Au sujet de Fouad et moi. J'avais honte. J'ai eu une aventure, il y a bien longtemps, à Cannes, et je la lui ai avouée. Mais pas Fouad ! Si je l'accuse, il dira tout au procès et notre mariage ne sera jamais plus possible...
— Alvaredo n'a pas été surpris en voyant Ouéni tuer votre mari ?

Ils se regardèrent dans les yeux un long moment. Peu à peu ceux de Maigret perdaient leur dureté tandis que les yeux bleus de Lina trahissaient de plus en plus la fatigue et la résignation.

— Il m'a entraînée dehors et, dans l'auto, je lui ai dit que Fouad avait toujours haï mon mari...

La lèvre inférieure un peu enflée, elle ajouta tout bas :

— Pourquoi avez-vous été si méchant avec moi, monsieur Maigret ?

CHAPITRE

7

A ONZE HEURES, LE lundi matin, Maigret sortait d'un des bureaux du quai des Orfèvres où il venait de procéder à l'interrogatoire officiel de son quatrième témoin.

Il avait commencé par Alvaredo, à qui il n'avait posé qu'une vingtaine de questions et Lapointe les avait enregistrées en sténo ainsi que les réponses. Parmi celles-ci, il y en avait une de capitale, et le jeune Colombien avait pris son temps.

— Réfléchissez bien, monsieur Alvaredo. C'est probablement la dernière fois que je vous interroge, car désormais le juge d'instruction prend l'affaire en mains. Étiez-vous dans votre voiture ou dans la maison ?

— Dans la maison. Lina m'a ouvert la porte avant de pénétrer dans le studio.

— Nahour était encore en vie ?

— Oui.

— Y avait-il quelqu'un d'autre dans la pièce ?

— Fouad Ouéni.
— Où vous teniez-vous ?
— Près de la porte.
— Nahour n'a-t-il pas tenté de vous faire sortir ?
— Il a feint de m'ignorer.
— Où se trouvait Fouad au moment des coups de feu ?
— A un mètre environ de Lina, au milieu de la pièce.
— C'est-à-dire à une certaine distance de Nahour ?
— Un peu plus de trois mètres.
— Qui a tiré le premier ?
— Je crois que c'est Ouéni, mais je n'en suis pas sûr, car les deux détonations ont été presque simultanées.

Puis, tandis que le Colombien attendait la permission de partir, cela avait été le tour, dans le bureau voisin, d'Anna Keegel, avec qui l'entrevue avait été assez brève.

Dans le troisième bureau, il n'avait pas trop poussé Nelly Verthuis, qui en avait été toute surprise.

— Combien de coups de feu avez-vous entendu ?
— Je ne sais pas.
— Est-il possible qu'il y ait eu deux coups de feu très rapprochés ?
— Je crois.

Quant à Lina, s'il lui avait fait répéter une bonne partie de ce qu'elle lui avait dit la veille, il avait eu soin de ne pas évoquer, dans ses questions, ses rapports intimes avec Fouad.

Il ne neigeait plus. Le temps mollissait et la neige tournait en boue. Dans le vaste couloir de la P.J. régnaient les habituels courants d'air, mais les bureaux étaient surchauffés.

Dans toute la maison, on sentait une certaine effervescence, car les inspecteurs, même ceux qui n'appartenaient pas à la Criminelle, avaient compris qu'une opération importante était en cours.

Des journalistes, et parmi eux l'inévitable Mabille, étaient assis sur les bancs et s'élançaient à l'assaut du commissaire chaque fois qu'il franchissait une porte.

— Tout à l'heure, mes enfants. Je n'ai pas fini...

Un journal du matin, Dieu sait comment, sans doute en questionnant le personnel d'Orly, avait découvert le bref voyage de Lina à Amsterdam et la présence à ses côtés d'un personnage mystérieux qu'on appelait monsieur X. Cela signifiait que, dès maintenant, l'affaire allait prendre une tournure sensationnelle, ce qui n'était pas pour plaire à Maigret.

Il lui restait à affronter Ouéni.

Le dimanche soir, quand le commissaire était rentré chez lui, vers sept heures, après être passé par le Quai, Mme Maigret n'avait eu besoin que d'un coup d'œil pour juger de son état d'esprit.

— Fatigué ?

— Ce n'est pas tellement la fatigue.

— Découragé ?

— Sale métier ! avait-il grommelé comme cela lui arrivait une fois tous les deux ou trois ans dans des cas semblables. Je n'ai pas le droit de fermer les yeux et les oreilles et, si je ne le fais pas, je risque de ruiner l'existence de gens qui ne le méritent pas.

Elle avait eu soin de ne pas le questionner et, après le dîner, ils étaient restés silencieux devant l'écran de télévision.

Tout au fond du couloir, il respirait un grand coup et soupirait :

— On y va, Lapointe ?

Il espérait encore. Il poussa la porte du bureau dans lequel Ouéni était enfermé et il trouva celui-ci, comme à son habitude, bien calé dans l'unique fauteuil de la pièce, les jambes étendues devant lui.

Comme la veille aussi, le secrétaire ne se leva pas, ne fit même pas mine de saluer les deux hommes qu'il observait tour à tour avec sa cruelle ironie.

Du lycée, Maigret avait retenu le « hideux sourire » de Voltaire et, devant le buste du grand homme, le jeune Maigret n'avait pas été d'accord avec cette expression. Depuis, il avait vu bien des sourires arrogants, agressifs ou perfides, mais c'était la première fois que le mot hideux lui revenait à l'esprit.

Il alla s'asseoir sur une chaise, devant une table de bois blanc recouverte de papier brun, sur laquelle se trouvait une machine à écrire. Lapointe s'assit au petit bout de la table et posa son bloc devant lui.

— Vos nom et prénom.

— Ouéni, Fouad, né à Takla, Liban.

— Age ?

— Cinquante et un ans.

Tirant de sa poche une carte d'étranger, il la tendit dans l'espace, sans pourtant quitter son fauteuil, de sorte que Lapointe dut se déranger.

— C'est la police française qui l'affirme... ironisa-t-il.

— Profession ?

— Conseiller juridique.

Pour lancer ces deux mots, sa voix s'était faite plus narquoise encore.

— C'est toujours votre police qui le dit... Lisez.

— Vous êtes-vous trouvé, le vendredi 14 janvier, à un moment quelconque entre onze heures du soir et une heure du matin, dans le bureau de votre employeur M. Félix Nahour, avenue du Parc-Montsouris ?

— Non. Je vous prie de noter que M. Nahour n'était pas mon employeur, puisque je ne recevais pas de gages.

— A quel titre le suiviez-vous dans ses divers domiciles et en particulier avenue du Parc-Montsouris ?

— A titre d'ami.

— Vous n'étiez pas son secrétaire ?

— Je l'aidais quand il avait besoin de mes conseils.

— Où étiez-vous le vendredi soir après onze heures ?

— Au cercle Saint-Michel, dont je suis membre.

— Pouvez-vous citer le nom de quelques personnes qui vous y ont vu ?

— J'ignore quelles sont les personnes qui m'ont remarqué.

— A combien évaluez-vous le nombre des membres qui se trouvaient dans les deux pièces assez exiguës du cercle ?

— Entre trente et quarante, selon les moments.

— Vous n'avez adressé la parole à aucun d'entre eux ?

— Non. Je n'étais pas là pour bavarder, mais pour noter les numéros qui sortaient à la roulette.

— Où vous teniez-vous ?

— Derrière les joueurs. J'étais assis dans un coin, près de la porte.

— A quelle heure êtes-vous arrivé boulevard Saint-Michel ?

— Aux environs de dix heures trente.

— A quelle heure avez-vous quitté le cercle ?

— Vers une heure du matin.

— Vous prétendez donc que, pendant deux heures et demie, vous vous êtes trouvé au milieu de plus de trente personnes sans que quiconque vous remarque ?

— Je n'ai rien dit de semblable.

— Mais vous ne pouvez citer aucun nom ?

— Je n'entretenais pas de rapports avec les autres joueurs, qui sont pour la plupart des étudiants.

— En sortant, vous avez traversé le bar qui se trouve au rez-de-chaussée ? Avez-vous parlé à quelqu'un ?

— Au patron.

— Que lui avez-vous dit ?

— Que le 4 était sorti huit fois en moins d'une heure.

— Comment êtes-vous retourné avenue du Parc-Montsouris ?

— Dans la voiture avec laquelle j'étais venu.

— La Bentley de M. Nahour ?

— Oui. J'avais l'habitude de la conduire et elle était à ma disposition.

— Trois témoins prétendent que vous vous trouviez, vers minuit, dans le studio de M. Nahour, où vous vous teniez debout à la droite de celui-ci.

— Ils ont tous les trois intérêt à mentir.

— Qu'avez-vous fait en rentrant ?

— Je suis monté dans ma chambre et je me suis couché.

— Sans entrouvrir la porte du studio ?

— Oui.

— Depuis vingt ans, Ouéni, vous viviez aux crochets de Félix Nahour, qui vous traitait en parent pauvre. Vous ne teniez pas seulement le rôle de secrétaire, mais celui de valet de chambre et de chauffeur. N'en étiez-vous pas humilié ?

— Je lui étais reconnaissant de la confiance qu'il me témoignait et c'est de mon plein gré que je lui rendais de menus services.

Il continuait à défier Maigret du regard, en proie, eût-on dit, à une véritable jubilation. Les paroles qu'il prononçait, on pouvait les enregistrer et les retourner contre lui ; aussi choisissait-il ses mots avec soin. Mais il était impossible de reproduire sur le papier son regard et ses expressions de physionomie, qui étaient un constant défi.

— Lorsque M. Nahour s'est marié, après

avoir vécu pendant près de quinze ans seul avec vous, ne vous êtes-vous pas senti frustré ?

— Nos rapports n'avaient rien de passionnel, si c'est cela que vous insinuez, et je n'avais pas de raisons d'être jaloux.

— Votre patron était-il heureux en ménage ?

— Il ne me faisait pas de confidence sur sa vie conjugale.

— Pensez-vous que, en particulier pendant les deux dernières années, Mme Nahour ait été satisfaite de l'existence qu'elle menait auprès de son mari ?

— Je ne m'en suis jamais préoccupé.

Cette fois, le regard de Maigret se fit plus lourd, comme chargé d'un message, et Ouéni le comprit fort bien. Il n'en conserva pas moins, relevant une sorte de défi muet, son attitude cynique qui contrastait avec l'objectivité de ses réponses.

— Quels étaient vos rapports avec Mme Nahour ?

— Je n'avais avec elle de rapports d'aucune sorte.

Maintenant qu'il s'agissait d'un interrogatoire officiel, appelé à jouer un rôle capital dans l'avenir, chaque mot était comme chargé de dynamite.

— Vous n'avez pas cherché à la séduire ?

— L'idée ne m'en est pas venue.

— Vous est-il arrivé de vous trouver seul dans une chambre avec elle ?

— Si vous voulez dire dans une chambre à coucher, la réponse est non.

— Réfléchissez.

— Toujours non.

— Une arme de calibre 7.65 a été retrouvée dans votre chambre. Possédiez-vous un autre pistolet et où est-il actuellement ?

— Chez un armurier de la rue de Rennes, où j'allais fréquemment m'entraîner.

— Quand y êtes-vous allé pour la dernière fois ?

— Jeudi.

— Le jeudi 13, c'est-à-dire la veille du meurtre. Saviez-vous alors que Mme Nahour avait l'intention de quitter son mari le lendemain ?

— Elle ne me faisait pas de confidences.

— Sa femme de chambre le savait.

— Nous n'étions pas en très bons termes, Nelly et moi.

— Parce que vous lui avez fait la cour et qu'elle vous a repoussé ?

— Ce serait plutôt le contraire.

— En somme, cette séance de tir du jeudi vient à point pour expliquer que vous avez probablement des incrustations de poudre sur les doigts. Deux personnes, au moins, étaient présentes, vendredi soir, un peu avant minuit ou un peu après, dans le bureau de M. Nahour. Toutes les deux affirment sous serment que vous y étiez aussi.

— Quelles sont ces deux personnes ?

— D'abord Mme Nahour.

— Et qu'y faisait-elle ?

— Elle venait annoncer à son mari sa décision de partir la nuit même et de demander le divorce.

— Vous a-t-elle affirmé que son mari était

disposé à lui accorder ce divorce? Était-ce la première fois qu'elle lui en parlait? Ne savait-elle pas qu'il s'y opposerait par tous les moyens?

— Y compris en tirant sur elle?

— Est-il prouvé qu'il a tiré volontairement? Enfin, selon votre expérience, est-ce l'habitude, à trois ou quatre mètres, de viser quelqu'un à la gorge? Mme Nahour vous a-t-elle dit aussi pourquoi elle était soudain si impatiente d'obtenir ce divorce?

— Pour épouser Vicente Alvaredo, qui se trouvait avec elle dans la pièce au moment des coups de feu.

— Du ou des coups de feu?

— Il y a eu deux coups de feu, presque simultanés, et il semble que c'est le premier qui ait atteint Nahour à la gorge.

— Ce qui implique que le second coup aurait été tiré par un mort?

— Le décès n'a pas été nécessairement instantané.

Nahour a pu presser la gâchette sans s'en rendre compte, alors qu'il perdait son sang en abondance et vacillait avant de tomber.

— Qui aurait tiré le premier coup de feu?

— Vous.

— Pourquoi?

— Peut-être pour protéger Lina Nahour, peut-être par haine pour votre patron.

— Pourquoi pas Alvaredo?

— Il semble qu'il ne s'est jamais servi d'une arme à feu de sa vie et qu'il n'en possédait pas. L'enquête confirmera ou ne confirmera pas ce point.

— Ne se sont-ils pas enfuis ?

— Ils se sont rendus à Amsterdam, comme ils le projetaient depuis une semaine, et ils sont rentrés à Paris dès que la police hollandaise le leur a conseillé.

— De votre part ? Avec la promesse qu'ils ne seraient pas inquiétés ? M. Alvaredo ne portait-il pas des gants ?

— C'est exact.

— N'étaient-ce pas des gants en peau épaisse qui n'ont pas été retrouvés ?

— Ils ont été retrouvés hier soir à Orly et le laboratoire n'y a relevé aucune trace de poudre.

— Mme Nahour, sur le point de partir, ne portait-elle pas ses gants aussi ?

— Le même examen n'a eu aucun résultat.

— Vous êtes sûr que c'étaient les mêmes gants ?

— La femme de chambre le certifie.

— Au début, vous avez parlé de trois témoins. Je suppose que le troisième est Nelly Verthuis ?

— Du couloir du premier étage, où elle attendait, penchée sur la rampe, la fin de l'entrevue, elle a entendu les deux coups de feu.

— C'est ce qu'elle vous a déclaré dès samedi ?

— Ceci ne vous regarde pas.

— Pouvez-vous au moins me dire où elle a passé la journée de dimanche ?

— A l'hôtel du Louvre, avec sa patronne et une amie de celle ci.

— Ces trois personnes n'ont-elles pas reçu de visites, en dehors de la vôtre ? Car je suppose que vous êtes allé les interroger, comme vous êtes venu m'interroger avenue du Parc-Montsouris.

— Alvaredo est allé les voir en fin d'après-midi.

Alors, Ouéni de laisser tomber sèchement, intervertissant les rôles :

— Cela me suffit. Désormais, je ne parlerai plus qu'en présence de mon avocat.

— Il y a pourtant une question que je vous ai déjà posée et que je tiens à répéter : quels étaient vos rapports exacts, avec Mme Nahour ?

Ouéni avait un sourire glacé et ses yeux étaient à la fois plus sombres et plus brillants que jamais quand il cracha :

— Aucun.

— Merci. Lapointe, veux-tu appeler deux inspecteurs ?

Il s'était levé, avait contourné le bureau et il se tenait debout devant Ouéni, toujours dans son fauteuil. Le regardant de haut en bas, le commissaire prononça avec amertume :

— Vengeance ?

Alors Fouad, après s'être assuré qu'ils étaient seuls dans la pièce et que la porte était fermée, de laisser tomber :

— Peut-être.

— Levez-vous.

Il obéit.

— Tendez vos poignets ?

Il le fit, sans perdre son sourire.

— En vertu d'un mandat du juge d'instruction Cayotte, je vous arrête...

Puis, aux deux inspecteurs qui entraient :

— Conduisez cet homme au Dépôt.

CHAPITRE

8

C'ÉTAIT DEVENU « L'affaire Nahour ». Pendant huit jours elle eut droit à la première page des journaux et à plusieurs colonnes dans les hebdomadaires à sensation. Des journalistes rôdaient sans cesse avenue du Parc-Montsouris, ramassant les ragots, et Mme Bodin, la femme de ménage, eut sa petite heure de gloire.

Mabille se rendit à Amsterdam, puis à Cannes, d'où il revint avec une interwiew de la nurse, sa photo et celle des enfants. Il questionna aussi les directeurs des jeux et les croupiers des casinos.

Pendant ce temps, des hommes de l'Identité Judiciaire passaient la maison des Nahour au peigne fin dans l'espoir d'y découvrir un indice. Le jardin y passa aussi et on fouilla même les égouts dans l'espoir de retrouver le pistolet qui avait servi à abattre Nahour.

La réunion chez le notaire avait eu lieu le lundi après-midi, en présence de Pierre Nahour et de son père ainsi que de Lina.

Un coup de téléphone de Me Leroy-Beaudieu mit Maigret au courant. Par son second testament, Félix Nahour ne laissait à sa femme que le strict minimum prévu par la loi. Le reste allait à ses enfants et il émettait le vœu que ceux-ci soient confiés à la garde de son frère et que, en cas d'impossibilité, celui-ci soit nommé subrogé-tuteur.

— Il ne laisse rien à Ouéni ?

— J'en ai été frappé. Je puis vous révéler à présent que, par son premier testament, que le second annule, Nahour laissait une somme de cinq cent mille francs à son secrétaire « en reconnaissance de son dévouement et des services rendus ». Or, le nom d'Ouéni n'est même plus mentionné dans le testament définitif.

Est-ce que Nahour avait appris entre-temps les rapports qui avaient existé entre Fouad et Lina ?

Trente-six habitués du cercle Saint-Michel, son directeur et les croupiers, furent entendus par le juge d'instruction.

Les journalistes les guettaient à la sortie, ce qui provoqua des incidents, car certains des témoins se jetaient furieusement sur les photographes.

Il y eut aussi des erreurs. Un étudiant cambodgien affirma avoir vu Ouéni assis dans son coin dès onze heures du soir. Il fallut deux jours de patientes recherches pour établir que cet étudiant n'avait pas mis les pieds au cercle le vendredi, mais qu'il avait confondu avec le mercredi précédent.

Des voisins, rentrés chez eux vers onze

heures et demie, après avoir passé la soirée au cinéma, jurèrent n'avoir pas vu de voiture en stationnement devant le bar.

Le juge Cayotte était un homme minutieux et patient. Pendant trois mois, presque chaque jour, il convoqua Maigret dans son bureau pour le charger de nouvelles investigations.

Dans les journaux, la politique reprit le dessus et l'affaire Nahour fut reléguée en troisième, puis en cinquième page, avant d'en disparaître complètement.

Lina, Alvaredo et Nelly n'avaient pas le droit de quitter Paris sans autorisation et ce ne fut qu'une fois l'instruction terminée qu'on les autorisa à aller se cacher dans une petite maison des environs de Dreux.

La Chambre des Mises en Accusation confirma l'inculpation d'Ouéni mais les rôles de la Cour d'Assises étaient si chargés que le procès n'eut lieu qu'en janvier de l'année suivante, un an après que le docteur Pardon eut reçu la blessée silencieuse et son amant dans son cabinet du boulevard Voltaire.

Curieusement, lors de leur dîners mensuels, les deux hommes avaient évité de faire allusion aux Nahour.

Le jour vint où un Maigret au visage un peu congestionné dut déposer à la barre. Jusqu'alors, aucune allusion n'avait été faite aux relations entre Lina et l'accusé.

Le commissaire répondit aussi objectivement et aussi brièvement que possible aux questions du président. Dès qu'il vit le procureur se lever, il sut que le secret de la jeune femme était menacé.

— Monsieur le Président veut-il me permettre de poser une question au témoin ?

— La parole est au Procureur de la République.

— Le témoin peut-il dire au jury s'il est ou non venu à sa connaissance qu'à une époque à déterminer des relations intimes auraient existé entre l'accusé et Mme Nahour ?

Le commissaire témoignait sous serment et n'avait pas le droit de tricher.

— Oui.

— L'accusé l'at-il formellement nié ?

— Oui.

— Néanmoins, par ses attitudes, n'a-t-il pas donné à penser que c'était la vérité ?

— Oui.

— Le témoin a-t-il cru à ces relations ?

— Oui.

— Cette conviction n'a-t-elle pas joué un rôle dans l'arrestation d'Ouéni, en jetant un jour nouveau sur les mobiles de son geste ?

— Oui.

C'était tout. Les spectateurs avaient écouté en silence, mais maintenant une rumeur montait de la salle et le président avait recours à son maillet.

— Si le calme ne se rétablit pas immédiatement, j'ordonnerai l'évacuation...

Maigret avait l'opportunité d'aller s'asseoir à côté du juge Cayotte, qui lui avait gardé une place, mais il préféra sortir.

Quand il se retrouva seul dans les couloirs déserts, où ses pas éveillaient des échos, il bourra lentement une pipe sans se rendre compte de ce qu'il faisait.

Quelques instants plus tard, il était installé à la buvette du Palais où il commandait un demi d'une voix bourrue.

Il n'avait pas le courage de rentrer chez-lui. Il but un autre demi, presque d'un trait, puis se dirigea à pas lents vers le quai des Orfèvres.

Cette année, il ne neigeait pas. L'air était doux. On avait l'impression d'un printemps prématuré et le soleil était si clair qu'on s'attendait à voir éclater les bourgeons.

Une fois dans son bureau, il ouvrit la porte de celui des inspecteurs.

— Lucas!... Janvier!... Lapointe!...

On aurait dit qu'ils l'attendaient tous les trois.

— Mettez votre pardessus et venez avec moi...

Ils le suivirent sans lui demander où ils les conduisait. Quelques minutes plus tard, ils montaient les marches usées de la Brasserie Dauphine.

— Alors, monsieur Maigret, cette affaire Nahour? lui lançait le patron.

Il regretta sa question, car le commissaire le regarda en haussant les épaules. Il se hâta d'ajouter :

— Vous savez, aujourd'hui, il y a de l'andouillette...

Il n'était plus question pour le couple d'aller à Bogota. Et, après l'audience du matin, les relations entre Lina et Alvaredo seraient-elles jamais les mêmes?

L'affaire Nahour était revenue en première

page. Pour les journaux du soir, elle devenait déjà une histoire de ménage à quatre.

Peut-être, sans le nouveau mobile, sur lequel le ministère public basa son réquisitoire, le jury aurait-il voté l'acquittement ?

On n'avait pas retrouvé l'arme. L'accusation ne reposait que sur des témoignages plus ou moins intéresés.

Le lendemain soir, Fouad Ouéni était condamné à dix ans de détention tandis que Lina et Alvaredo, qu'on avait fait sortir par une petite porte, montaient dans l'Alfa-Roméo et s'éloignaient dans une direction inconnue.

Maigret n'en entendit jamais plus parler.

— J'ai raté, devait-il avouer le mardi suivant à Pardon, chez qui il dînait.

— Peut-être que si je ne vous avais pas téléphoné cette nuit-là...

— Les événements n'en auraient pas moins suivi leur cours, avec un peu de retard...

Et Maigret ajouta, en tendant la main vers son verre de marc de Bourgogne :

— Au fond, Ouéni a gagné...

FIN

Épalinges, le 8 février 1966.

OUVRAGES DE GEORGES SIMENON

AUX PRESSES DE LA CITÉ (suite)

« TRIO »

I. — La neige était sale — Le destin des Malou — Au bout du rouleau

II. — Trois chambres à Manhattan — Lettre à mon juge — Tante Jeanne

III. — Une vie comme neuve — Le temps d'Anaïs — La fuite de Monsieur Monde

IV. — Un nouveau dans la ville — Le passager clandestin — La fenêtre des Rouet

V. — Pedigree

VI. — Marie qui louche — Les fantômes du chapelier — Les quatre jours du pauvre homme

VII. — Les frères Rico — La jument perdue — Le fond de la bouteille

VIII. — L'enterrement de M. Bouvet — Le grand Bob — Antoine et Julie

PRESSES POCKET

Monsieur Gallet, décédé
Le pendu de Saint-Pholien
Le charretier de la Providence
Le chien jaune
Pietr-le-Letton
La nuit du carrefour
Un crime en Hollande
Au rendez-vous des Terre-Neuvas
La tête d'un homme
La danseuse du gai moulin
Le relais d'Alsace
La guinguette à deux sous
L'ombre chinoise
Chez les Flamands
L'affaire Saint-Fiacre
Maigret
Le fou de Bergerac
Le port des brumes
Le passager du « Polarlys »
Liberty Bar
Les 13 coupables
Les 13 énigmes
Les 13 mystères
Les fiançailles de M. Hire
Le coup de lune
La maison du canal
L'écluse n° 1
Les gens d'en face
L'âne rouge
Le haut mal
L'homme de Londres

A LA N.R.F.

Les Pitard
L'homme qui regardait passer les trains
Le bourgmestre de Furnes
Le petit docteur
Maigret revient
La vérité sur Bébé Donge
Les dossiers de l'Agence O
Le bateau d'Émile
Signé Picpus
Les nouvelles enquêtes de Maigret
Les sept minutes
Le cercle des Mahé
Le bilan Malétras

ÉDITION COLLECTIVE SOUS COUVERTURE VERTE

I. — La veuve Couderc — Les demoiselles de Concarneau — Le coup de vague — Le fils Cardinaud

II. — L'Outlaw — Cour d'assises — Il pleut, bergère... — Bergelon

III. — Les clients d'Avrenos — Quartier nègre — 45° à l'ombre

IV. — Le voyageur de la Toussaint — L'assassin — Malempin

V. — Long cours — L'évadé

VI. — Chez Krull — Le suspect — Faubourg

VII. — L'aîné des Ferchaux — Les trois crimes de mes amis

VIII. — Le blanc à lunettes — La maison des sept jeunes filles — Oncle Charles s'est enfermé

IX. — Ceux de la soif — Le cheval blanc — Les inconnus dans la maison

X. — Les noces de Poitiers — Le rapport du gendarme G. 7

XI. — Chemin sans issue — Les rescapés du « Télémaque » — Touristes de bananes

XII. — Les sœurs Lacroix — La mauvaise étoile — Les suicidés

XIII. — Le locataire — Monsieur La Souris — La Marie du Port

XIV. — Le testament Donadieu — Le châle de Marie Dudon — Le clan des Ostendais

MÉMOIRES

Lettre à ma mère
Un homme comme un autre
Des traces de pas
Les petits hommes
Vent du nord vent du sud
Un banc au soleil
De la cave au grenier
A l'abri de notre arbre
Tant que je suis vivant
Vacances obligatoires
La main dans la main
Au-delà de ma porte-fenêtre
Je suis resté un enfant de chœur
A quoi bon jurer?
Point-virgule
Le prix d'un homme
On dit que j'ai soixante-quinze ans
Quand vient le froid
Les libertés qu'il nous reste
La Femme endormie
Jour et nuit
Destinées
Quand j'étais vieux
Mémoires intimes

Achevé d'imprimer en août 1990
sur les presses de l'Imprimerie Bussière
à Saint-Amand (Cher)

— N° d'édit. 2206. — N° d'imp. 1756. —
Dépôt légal : septembre 1990.

Imprimé en France